MODERN SOLITUDE

Du même auteur aux Éditions J'ai lu

Il m'appelait Vieille France (7719)

HÉLÈNE
Millerand

MODERN SOLITUDE

ROMAN

C’est qui les autres ?
Les autres, c’est tout le monde, sauf moi.

I

Carlos Diaz ne parle à personne.

À la sortie de l'école primaire de la paisible rue Madame, dans le sixième arrondissement de Paris, les mères se font des signes et se hèlent en riant. Elles s'emparent des cartables, distribuent les goûters, mouchent des nez et se concertent pour aller ensemble au jardin. Oisives pour la plupart, elles élèvent leurs enfants, jouent au tennis au Luxembourg, prennent des cours de reliure ou d'anglais, et se retrouvent au café-tabac de la rue de Fleurus où elles fument et parlent ensemble des choses de la vie, de l'amour et des hommes. L'abolition de la peine de mort en France, le 18 septembre dernier, n'a pas bouleversé leur existence.

Bruissantes et affairées, elles chuchotent, forment des petits clans et posent des regards curieux sur l'homme aux yeux noirs qui arrive quelques minutes avant l'heure, et se tient à l'écart sur le trottoir d'en face, un livre dans les mains, jusqu'au soir où l'une d'entre elles traverse la rue.

Trente ans, peau transparente et maintien dégagé, elle est d'une espèce dont ni les parents ni les grands-parents n'ont eu à redouter les fins de mois, les cris des chefs ou les contrôles de police.

– Bonjour, je m'appelle Brigitte Boyerdrey. Damien, mon fils, voudrait inviter le vôtre pour son anniversaire, mercredi prochain.

Et regardant l'enfant que l'homme tient par la main, elle ajoute :

– Avec sa petite sœur, bien sûr.

Brigitte Boyerdrey n'a pas de cernes sous les yeux, pas de ride entre les sourcils, pas d'échelle à ses bas. Elle n'est pas encombrée de sacs en plastique d'où dépassent en tire-bouchon *L'Humanité* et *La Femme française*, sa démarche est légère, son rire sonore et la lourde chevalière en or de son petit doigt voisine avec un diamant de grosse taille. Une mère comme celle-là ne déplairait pas à Carmen, fille cadette et chérie de Carlos Diaz.

En septembre 1981, Carmen, qui venait d'avoir six ans, entra au cours préparatoire.

Son frère Ramon entamait sa deuxième année de cours élémentaire et, quatre mois auparavant, la gauche avait pris le pouvoir en France. La bataille avait été gagnée par François Mitterrand, un ancien élève du collège Saint-Paul d'Angoulême, décidé à rester au palais de l'Élysée aussi longtemps que le lui permettraient ses forces.

Ramon se bat à chaque récréation. Il pose ses affaires, les confie à sa sœur qui doit interrompre ses jeux, rattrape le malheureux qui l'a bousculé ou contredit, et se jette sur lui.

Carmen connaît les colères de son frère, elle vit avec, les redoute, et réussit de temps en temps à les apaiser. Mais cette fois, elle craint que Ramon ne tue son adversaire, un nouveau prénommé Damien, qui mesure dix centimètres de plus que lui. Après cinq minutes de lutte incertaine, Ramon prend le dessus. Il a terrassé l'ennemi en lui tordant le bras dans le dos, et lui cogne la tête contre le gravier de la cour en hurlant : « C'est un métier, je te dis que c'est un métier », parce que l'autre a maintenu fermement que jouer la comédie est un passe-temps, pas un métier. Attirés par les cris, les enfants se rassemblent autour des lutteurs et chantent en cadence : « Du sang, de la chique et du mollard ! »

Quand Damien se met à saigner du nez après un coup de poing particulièrement méchant, Ramon consent à cesser le combat et, magnanime, lui tend la main pour l'aider à se relever.

– Viens.

Il entraîne le vaincu vers la fontaine, mouille son mouchoir d'eau froide et le lui colle sur le visage.

– Mets la tête en arrière, ça va s'arrêter.

Alertée par les cris, l'institutrice arrive en courant et demande ce qui se passe. Damien, hautain et enroué, lui répond qu'il ne se passe rien.

Trois jours plus tard, Ramon est invité à son anniversaire.

L'amour de Damien Boyerdrey pour Ramon Diaz naquit à la rentrée des classes 1981, sous les yeux de Carmen, attentive et inquiète.

Au numéro 7 de la rue Auguste-Comte, dans un immeuble d'angle, haussmannien, colossal et ravalé de frais, les Boyerdrey possèdent un appartement qui occupe tout le cinquième étage. Le deux-pièces avec mezzanine que la famille Diaz loue rue du Regard tiendrait aisément dans le grand salon dont les hautes fenêtres donnent sur les serres du jardin du Luxembourg.

Sur le seuil de la porte, avec un sourire contraint, Carlos Diaz refuse l'invitation d'entrer prendre un verre et se contente de demander poliment l'heure à laquelle il faut venir rechercher les enfants.

Impressionnée par l'immensité des lieux, Carmen, saisie de peur, veut s'échapper, rattraper son père, mais il est trop tard. Carlos est parti.

– Nous sommes les seules filles, dit gentiment la maîtresse de maison en lui posant sur l'épaule une main amie.

Les garçons courent dans tous les sens, ils crient et la bousculent au passage, lui enjoignant de se pousser. L'angoisse provoque chez Carmen une irrépressible envie d'uriner. Tirant Brigitte Boyerdrey par la manche, elle demande d'une voix minuscule où se trouvent les toilettes.

– Viens ma mignonne, je vais te montrer.

La petite pièce, éclairée par un œil-de-bœuf, est tapissée de papier peint à larges rayures bleues et blanches, un lampion japonais se balance gracieusement au plafond, et des revues de décoration, de golf et d'équitation, sont posées en une impeccable pile sur un petit banc de bois vernis. Les lieux sont charmants. Chez Carmen, les cabinets sont installés dans la salle de bains, entre baignoire et lavabo, et l'on y est rarement tranquille plus de cinq minutes.

De retour au salon, soulagée de n'avoir croisé personne, éperdue, elle court vers Damien et Ramon qui, debout près de la fenêtre, se tiennent par le cou et se parlent à l'oreille.

– Ôte-toi de là, tu nous déranges !

Brutalement repoussée, la petite fille va s'asseoir sur un coussin près de la cheminée de marbre. Elle contemple les flammes qui bougent, et boit, avec une paille, le verre de limonade que la mère de Damien lui a apporté.

Carmen aimait deux hommes, son père et son frère.

Elle portait à son père un amour aveugle et absolu, quant à son frère, elle le craignait, l'admirait, et réglait sa vie sur la sienne. L'amour et le dévouement de la petite sœur allaient de soi pour le garçon, qui la malmenait sans cesse, ignorant qu'il ne pouvait se passer d'elle. Il ignorait également que Carmen tenait avec minutie le compte des coups, des moqueries et des rebuffades qu'elle se promettait de lui faire payer le temps venu.

Les événements qui suivirent la bataille originelle et le saignement de nez fondateur laissèrent Carmen songeuse. À la place de Damien, son unique pensée eût été de faire saigner à son tour son enragé de frère. Le contraire se produisit.

Les deux garçons ne se quittaient plus. Ils marchaient de long en large dans la cour de l'école en parlant à voix basse, échangeaient des images, des livres et des albums, et usaient entre eux d'un curieux langage, fait d'onomatopées, de cris et de grognements. Ils étaient seuls au monde. Bientôt ils passèrent tous les mercredis après-midi ensemble, tantôt chez l'un, tantôt chez l'autre.

Quand c'était le tour de Ramon d'aller rue Auguste-Comte, Carmen restait seule avec son père qui l'emmenait se promener au Jardin des Plantes, où il ne risquait pas de rencontrer les bourgeoises du sixième arrondissement et leur marmaille qu'il ne pouvait souffrir.

La famille Boyerdrey incarnait aux yeux des parents de Ramon et de Carmen tout ce qu'ils détestaient et dont ils étaient dépourvus : l'argent.

La gentillesse de Damien, sa drôlerie, sa politesse, l'amabilité de sa mère, augmentaient leur malaise d'autant. Ils auraient préféré que Damien fût insupportable et sa mère odieuse. Hélas, ils étaient charmants.

Souvent le lundi, soir de relâche dans les théâtres, des camarades se retrouvaient rue du Regard. Ils buvaient du vin rouge, mangeaient des spaghettis à la bolonaise préparés par Carlos, fumaient du tabac brun et parlaient politique. Ils écoutaient en sourdine Atahualpa Yupanqui, Bob Marley, des fugues de Bach, et Carlos chantait des chansons de Paco Ibañez en s'accompagnant sur le piano droit, dont Jocelyne, son épouse, payait les traites à la fin de chaque mois.

Ils étaient communistes.

De ces communistes qui, en dépit de tout, n'avaient pu se résoudre à quitter le « parti des travailleurs ». Au mépris des faits, ces petits-bourgeois, ces intellectuels, ces enfants de l'aristocratie ouvrière voulaient y croire encore. Ils venaient là pour se tenir chaud et remonter leur vieille utopie déglinguée, car le monde ne changeait pas selon leurs désirs. Certes, Pierre Mauroy, un fils d'ouvrier était à la tête du gouvernement, une première pour la République française, mais « le programme commun de l'Union de la gauche » ne les avait pas soulevés d'enthousiasme, le chômage augmentait, et le nouveau pape était polonais.

Le bruit des voix perçait à travers la cloison peu épaisse qui séparait la salle de séjour de la chambre des enfants, sans troubler le sommeil de Ramon. Carmen, au contraire, restait éveillée pour écouter les discussions des adultes. Elle tenait dans ses bras l'ours Dédé, ainsi nommé en l'honneur d'André Jaquillart, régisseur au théâtre de l'Odéon, qui, plusieurs fois par semaine, ramenait Carlos à la maison quand celui-ci avait trop bu et s'était bagarré Chez Georges, rue des Canettes.

– Alors, Ramon passe sa vie chez les Boyerdrey ? Je te signale que le père a un poste important dans une grosse banque d'affaires, ça ne te dérange pas ?

– Je n'y peux rien si ces gens-là mettent leurs enfants à l'école publique.

Comme son fils, Carlos s'emportait facilement. Ce soir-là, Jocelyne, d'ordinaire prompte à le soutenir, s'efforça de le calmer. Elle répondit à son amie Samia qu'il n'y avait pas lieu de s'inquiéter, que Ramon avait huit ans, que ça lui passerait, et que les vacances de février allaient lui changer les idées. Elle se trompait.

Grandes mains, grands pieds, grand nez, Jocelyne Diaz était grande de partout. Les traits de son visage aux pommettes saillantes, ses orbites profondes et l'iris opaque de ses yeux bruns étaient ceux de ses ancêtres auvergnats. Militante obstinée, le dimanche à dix heures et par tous les temps, elle vendait *L'Humanité* au carrefour de Buci, avec des regards de pitié quelque peu hostiles pour les socialistes qui se pointaient vers onze heures et qui, pleins de leur récent triomphe, se pavanaient en faisant provision de carottes et de navets, accompagnés par la musique de l'orphéon des Beaux-Arts.

Les mères et les filles ont des hommes en commun, Jocelyne avait naturellement les mêmes amours que Carmen. Elle ne se lassait pas de la beauté de son époux, aimait son fils à la passion et se voyait mal lui interdire de fréquenter son nouvel ami. Elle s'était contentée de le mettre en garde contre les riches et leurs méfaits, contre l'argent, qui salit tout.

Jocelyne n'avait eu le temps ni d'ôter ses chaussures ni de vider le cendrier plein des mégots de Carlos. Elle rentrait à peine de la crèche municipale qu'elle dirigeait rue Marie-Pape-Carpantier qu'on avait sonné à la porte.

Rose de froid, souriante, bafouillante et gênée, Brigitte Boyerdrey s'était excusée à plusieurs reprises, expliquant qu'elle passait par là et que parler de vive voix de cette histoire de vacances lui semblait tellement préférable au téléphone, etc., etc.

Et puis tu as envie de voir à quoi ressemble la maison des cocos..., avait pensé Jocelyne.

Jocelyne était fatiguée. Elle avait hâte de se mettre à table devant le repas préparé par Carlos et de profiter un peu de ses enfants. Pourtant elle avait ouvert sans hésitation à la mère de Damien car elle aussi était curieuse de voir de près cette femme gâtée, dont Carlos avait fait le portrait en trois mots : C'est une bourge.

« Damien et Ramon seraient si heureux... »

Bien sûr, Ramon serait heureux. Jocelyne imagina son fils à skis, joues rouges, yeux brillants, grand sourire, faisant de la luge et des batailles de boules de neige avec Damien, se gavant de crêpes et de fondues, lisant assis près du feu, dans un chalet de bois aux balcons ouvragés, comme on en voit dans les dépliants des agences de voyages.

C'est par amour qu'elle se laissa convaincre.

Aux objections de son mari, elle opposa qu'une semaine de mauvaises fréquentations n'effacerait pas huit ans d'éducation prolétarienne, et son avis l'emporta, puisque, aussi bien, c'était elle qui faisait vivre la famille.

En février 1982, Ramon partit en Haute-Savoie avec Damien, et Carmen fut séparée de son frère pour la première fois.

Carmen est une petite fille courageuse. Dans la journée elle fait bonne figure, mais le soir elle pleure dans son lit. Du bout de la langue, au coin de ses lèvres, elle attrape ses larmes et les avale l'une après l'autre, avec une volupté triste. Elle embrasse l'ours Dédé avec passion, appelle son frère à voix basse, et les paroles consolantes de ses parents, qui lui répètent qu'une semaine est vite passée, ne peuvent rien contre sa peine.

Pour la distraire, Mme Souza, la gardienne de la rue du Regard, l'emmène tous les après-midi faire du patin à glace, dans le dix-neuvième arrondissement, à l'autre bout de Paris. Les chevilles tordues dans des chaussures de location trop grandes pour elle, l'enfant tourne autour de la piste, maladroite et déterminée. Les voyous qui s'amusent à faire peur aux filles, qui les frôlent, leur crient dans les oreilles et leur arrachent écharpes et bonnets lui font peur. À leur passage, Carmen ferme les yeux, rentre la tête dans les épaules, s'agrippe des deux mains aux rambardes de bois et s'y colle au plus près, avant de repartir.

Les succès de la saison et des airs d'un chanteur de charme mort depuis peu accompagnent son chagrin, tandis que la brise qui traverse la patinoire lui passe sur le visage, effaçant ses larmes. Son professeur de patin la trouve douée et volontaire. C'est vrai, Carmen est douée et volontaire, et depuis huit jours, par-dessus le marché, elle est seule.

Après les vacances de février, on ne voyait plus Ramon et Damien l'un sans l'autre, et rue du Regard comme rue Auguste-Comte, on disait « les garçons » : « Avez-vous vu les garçons ? » « C'est la faute des garçons. » « Où sont les garçons ? »

Ils étaient au judo, au Luxembourg, à la bibliothèque, au Palais de la Découverte, ensemble dans tous les cas.

Le mardi, après la classe, Ramon accompagnait Carmen chez Mme Lemoan, rue du Canivet, pour son cours de piano.

Place Saint-Sulpice, à droite de la mairie, dans le hall du cinéma éclairé en grand, la caissière tricotait derrière son guichet en attendant la séance de vingt heures. La place était vide et provinciale, animée seulement par quelques gamins courant autour de la fontaine délabrée, où il manquait aux effigies des évêques, ici un doigt, là le coin d'une mitre, la hampe d'une crosse ou la moitié d'un nez. Les plus délurés grimpaient sur les rebords du bassin et jetaient de l'eau sur leurs camarades. Damien y attendait Ramon pour une partie de ballon, le temps de la leçon, jusqu'à la tombée du soir.

Carmen aimait bien la maîtresse de musique, essoufflée, transpirante et gaie, qui oubliait ses mégots au bout du clavier, tachant de brun les touches graves. En proie à de perpétuelles bouffées de chaleur, Mme Lemoan laissait la fenêtre ouverte hiver comme été, de sorte que les cris des garçons sur la place montaient jusqu'à la petite fille qui les enviait follement tout en faisant consciencieusement ses gammes.

Mais les garçons n'avaient que faire d'une gamine lente à la course, rapide aux larmes, qui ne pouvait s'endormir sans son ours et qui, de surcroît, allait patiner le mercredi après-midi au centre sportif de la rue Édouard-Pailleron, ce dont se gaussaient Ramon et Damien, qui méprisaient profondément ce sport de fille.

En l'absence de Damien, Carmen se retrouvait avec son frère, comme avant. Assis par terre, côte à côte, les enfants de Carlos et de Jocelyne feuilletaient un *Don Quichotte* illustré, unique héritage des grands-parents paternels, jouaient à la bataille ou aux dames, et pour finir Ramon racontait à sa sœur comment, quand il serait grand, il partirait au Canada ou en Australie, comment il vivrait de la chasse et de la pêche comme « Rahan le fils des âges farouches », comment il construirait sa maison de ses propres mains, et ne dépendrait de personne au monde. Silencieuse, le visage levé vers lui, Carmen songeait amèrement au temps où son frère lui appartenait tout entier. Pour Ramon au contraire, c'était en mieux que les choses avaient tourné, sa petite sœur était toujours à sa disposition, et désormais, il avait Damien pour lui tenir son cartable quand il se battait avec les garçons du CM2, c'est-à-dire tous les jours.

Deux années passèrent. L'amour de Damien pour Ramon ne faiblissait pas et Carmen en prit son parti. Le couple qu'elle formait avec son frère était brisé, Damien était dans la place, autrefois ne reviendrait pas. Alors, plutôt que de s'enfermer dans le dépit et le regret, Carmen décida d'aimer l'intrus.

Elle dut admettre que c'était un gentil garçon, moins brutal, moins moqueur que son frère. Elle se mit à rire de ses blagues et de ses reparties, admira la masse de ses cheveux châtains, sa grande taille et sa vitesse à la course. Elle nota toutes les fois où il lui avait porté attention, et gardait, cachée au fond de son cartable, une gomme qu'elle lui avait volée. Quand les deux amis étaient rue du Regard, elle se tenait sagement au seuil de la chambre des enfants, pieds posés l'un contre l'autre, bras le long du corps, aux ordres. Les garçons ne remarquaient pas l'empressement accru de la fillette à leur obéir, soit de les laisser en paix, soit de leur apporter le tube de lait concentré ou la bouteille de jus d'orange, ou bien encore, quelquefois, de se joindre à leurs jeux.

Au mois de mars 1983, Jocelyne Diaz dut se rendre à un congrès de travailleurs sociaux à Lyon. Aux mêmes dates, et pour une fois, Carlos avait du travail. Il avait été pris pour tenir un petit rôle dans *Solness le Constructeur* d'Ibsen, programmé huit jours au théâtre de la Monnaie, à Bruxelles. Les grands-parents maternels étaient en cure et l'amie Samia d'astreinte à l'hôpital Saint-Antoine où elle était infirmière. Jocelyne n'avait personne pour faire garder ses enfants.

– Pourquoi nous encombrer de ces mioches qui vont faire du bruit et qui ne savent pas se tenir à table ? Ramon est déjà bien assez souvent ici, il n'est pas indispensable que sa sœur, elle aussi, devienne une habituée. Cette maison n'est pas le siège de l'Armée du Salut, que je sache.

– Un, ils sont très bien élevés, deux, il n'y a pas de mal à rendre service, répondit Brigitte, en se démaquillant avec soin.

Les parents de Damien se parlaient environ cinq minutes par jour, devant le miroir du lavabo double de leur vaste salle de bains de marbre.

– Quels goûts bizarres, Brigitte. C'est encore d'avoir manqué Mai 68 qui te travaille ? Je continue de penser que lancer des pavés rue Gay-Lussac avec le gros Cohn-Bendit t'aurait mieux réussi que notre voyage de noces à Belém.

– Je me serais peut-être amusée davantage, répondit Brigitte, qui ajouta : Les enfants seront contents, et qu'est-ce qu'une nuit ?

C'était si simple en effet. Tout était simple dans la vie de Mme Jean Boyerdrey.

Abattue par la tonitruante défaite de la gauche aux toutes récentes élections municipales, qui lui avaient coûté beaucoup de son énergie et de son temps, attristée par la perte de plusieurs grandes mairies communistes, lassée de devoir perpétuellement trouver des solutions aux problèmes, Jocelyne accepta la proposition. Ramon et Carmen iraient dormir rue Auguste-Comte.

Des posters de juments avec leurs poulains couvraient les murs, et, au-dessus de la cheminée, les flots, gagnés dans les concours hippiques du dimanche, garnissaient entièrement le pourtour de la grande glace.

À treize ans, Véronique Boyerdrey, sœur aînée de Damien, ne vivait que pour l'équitation. Elle n'avait rien à dire à une gamine qui ignorait le sens des termes « bride », « sangle », ou « filet », mais, bonne fille, elle accueillit gentiment Carmen, qui devait partager sa chambre pour une nuit et dont la présence discrète lui était, somme toute, indifférente.

Carmen apprécia la douceur légère des couvertures de mohair, la finesse des draps, l'épaisseur et le moelleux des serviettes impeccablement blanches. La hauteur des plafonds à moulures, les portes à double battant, le parquet à points de Hongrie l'impressionnèrent comme la première fois, et elle retrouva avec plaisir les cabinets bleus. Mais ce qui lui plaisait par-dessus tout, c'était l'espace.

Rue Auguste-Comte, il n'était pas nécessaire pour vivre d'enjamber, de grimper, de déplacer, de déplier, de replier.

Avant le dîner, pendant que les garçons jouaient dans la chambre de Damien, Carmen reprit l'exploration des lieux, entamée deux ans auparavant. Elle fit plusieurs allers-retours dans le corridor, poussa discrètement des portes, déambula silencieusement dans le vestibule, et pour finir se glissa dans le salon, s'assit dans une bergère d'où elle pouvait voir les arbres des jardins du Luxembourg où les bourgeons commençaient de poindre.

Le père de Damien n'était jamais chez lui avant vingt heures trente.

Au dîner, les garçons furent placés l'un près de l'autre, Brigitte prit Carmen à côté d'elle, son mari lui faisait face avec Véronique à sa droite. Jean Boyerdrey était un homme de haute taille, élégant, froid et moqueur, qui interdisait aux enfants de parler à table, sauf à y être expressément autorisés.

– Alors, mon cher Ramon, il paraît que ton père joue la comédie à Bruxelles pour un soir ?

Jean Boyerdrey, qui dépliait soigneusement sa serviette, posa la question sans un regard pour le petit garçon.

– Non, pas pour un soir, pour huit jours.

Ramon rougit, et serra les doigts sur sa fourchette et sur son couteau, sa voix tremblait. Il haïssait le père de Damien.

À part quelques réflexions acides sur la nourriture, et jusqu'à la fin du dîner, M. Boyerdrey ne s'adressa qu'à sa fille. De mauvaise humeur, irrité par la présence des petits visiteurs, il se retira dans son bureau dès le repas fini, ce qui, aux yeux de Carmen, valait mieux que de quitter l'appartement en claquant la porte, pour aller boire des coups au bar de la rue des Canettes, comme le faisait son père lorsqu'il s'était disputé avec sa mère, ce qui arrivait de plus en plus souvent.

Pendant l'absence de Carlos, Jocelyne se montra nerveuse, agitée. Elle se cognait dans les meubles, se pinçait les doigts dans les tiroirs qu'elle refermait trop brusquement et, pour finir, cassa une grande assiette peinte à la main que Samia leur avait rapportée de Tolède.

Accroupie sur le carreau du séjour, pelle dans une main, brosse dans l'autre, elle ramassait les morceaux de porcelaine cassée tout en pestant contre sa maladresse, lorsque Carmen lui demanda pourquoi certains appartements étaient si grands, et d'autres, si petits.

Repoussant en arrière les cheveux tombés devant ses yeux tandis qu'elle allait récupérer sous le buffet les restes de l'assiette, Jocelyne prit son temps pour répondre. Puis elle dit que c'était la faute de l'argent, que si les richesses étaient justement réparties, les maisons seraient belles pour tout le monde et les gens plus heureux. Elle dit encore, se parlant à elle-même, qu'on était loin du compte, et qu'elle devrait vendre beaucoup de journaux, monter beaucoup d'escaliers, distribuer beaucoup de tracts, et coller beaucoup d'affiches avant que cela ne change.

– Les riches se servent des pauvres, continua-t-elle, ils les exploitent sans leur rendre ce qui leur est dû, ils leur prennent leur temps, leur santé et leur vie. C'est pour l'argent qu'ils font les guerres. Les riches sont capables de tuer pour de l'argent.

Carmen pensa que Brigitte Boyerdrey ne ferait jamais une chose pareille, en revanche, pour ce qui était de son mari, elle en était moins sûre.

Carlos revint de Bruxelles heureux et gai. Il rapporta des spéculos de chez Dandoy, du chocolat de chez Wittamer et une reproduction de *L'Empire des lumières* de Magritte qu'il accrocha dans le couloir à côté de la *Colombe* de Picasso. Jocelyne sembla recouvrer son calme. De temps à autre pourtant, son regard se perdait dans le vide, son front se plissait, et, au même moment, sans qu'elle en fût consciente, elle prenait une respiration profonde, comme si l'air lui manquait.

À son tour, Damien passa une nuit rue du Regard, sans raison particulière, simplement parce qu'il en avait envie et qu'il l'avait fait savoir.

Carlos fit des crêpes, il récita des poèmes, et chanta des chansons de sa douce voix de ténor, en s'accompagnant au piano. Les garçons eurent l'autorisation de se coucher plus tard que d'ordinaire. Ils firent leur toilette ensemble, inondèrent en partie le sol de la salle de bains, puis ils jouèrent avec le vaisseau pirate de Ramon. Assise en tailleur dans un coin de la chambre, Carmen les regardait.

De retour rue Auguste-Comte, Damien vint trouver sa mère qui lisait au salon. Il lui demanda sur un ton de colère pourquoi son père n'était jamais à la maison, pourquoi il ne chantait pas de chansons en s'accompagnant au piano, et surtout, pourquoi il ne faisait pas la cuisine comme le père de Ramon. Brigitte, qui se posait les mêmes questions, répondit à son fils qu'il y avait mille sortes de vies, qu'elles se valaient toutes, et que Jean avait beaucoup de travail à la banque, ce qui était incontestable.

Au moment de s'endormir Carmen pensait souvent à la nuit passée rue Auguste-Comte et à toutes les belles choses qu'on pouvait y voir, les tapis persans, les tableaux, les cadres de bois doré, les chandeliers d'argent qui décoraient la table de la salle à manger, et les bougies parfumées que Brigitte disposait aux quatre coins de l'appartement. Elle pensait également que, quelles que soient les préoccupations des adultes, et en dépit de l'opinion de sa mère, un grand appartement était incontestablement préférable à un petit.

II

Avec l'entrée en sixième de Ramon et de Damien, l'année scolaire 84-85 s'annonça rude. Carmen dut se passer de la présence des garçons, familière et rassurante, quoique brusque, et affronter en solitaire sa première année de cours moyen. Elle venait d'avoir neuf ans.

Parce qu'elle était la meilleure en tout, qu'elle était timide et sage, ses camarades la traitaient de crâneuse et d'hypocrite. Elle en souffrait, mais ses tentatives pour se rapprocher des autres, aussi maladroites que chargées d'espérance, furent vouées à l'échec. Alors elle s'installa dans un isolement tranquille, et, en attendant d'être heureuse, elle lut, et rêva sa vie. Elle lisait pendant les récréations, assise par terre près de la haie de troènes étiques, à l'écart des autres, de leurs jeux, de leurs bavardages, de leurs secrets. Elle rêvait du jour où elle se marierait avec Damien, de l'existence luxueuse qu'ils mèneraient dans l'appartement de la rue Auguste-Comte et des manteaux de fourrure qui rempliraient ses armoires, pareils à ceux de Brigitte Boyerdrey.

Le premier dimanche du mois de septembre 1984, il faisait beau. Les Diaz allèrent déjeuner chez les parents de Jocelyne, à l'école primaire de la rue de l'Ave-Maria, où la grand-mère Pascaline était concierge depuis près de trente ans. Carlos et les enfants passèrent prendre Jocelyne qui achevait de vendre ses journaux rue de Buci, puis ils partirent à pied par la rue Saint-André-des-Arts, le quai Saint-Michel, le Petit-Pont, le parvis de Notre-

Dame, le pont Marie, jusqu'au Marais, qui entamait une deuxième jeunesse.

Chez les parents de Jocelyne, on parlait politique à table le dimanche. Carlos, communiste assez tiède, s'accrochait régulièrement avec son beau-père, René Bergeron, qui supportait mal ce gendre vivant aux crochets de sa fille, dont les parents, quoique républicains espagnols, n'avaient jamais été que des sociaux-démocrates mous, avec des bouffées de sympathie pour les anarchistes, espèce détestée à l'égal des trotskistes.

Le vieil homme, ouvrier typographe à l'Imprimerie du Palais, rue Geoffroy-l'Asnier, avait été délégué CGT pendant quarante-cinq ans. Retraité impatient, ne sachant que faire de lui-même, il allait chaque matin dans un bistrot délabré de la rue François-Miron, pour lire dans leur intégralité *L'Humanité* et *L'Équipe*, après quoi il se disputait avec le patron, un juif sioniste et pied-noir. Il se rendait aux réunions de cellule de la rue du Pont-Louis-Philippe, passait une partie de ses après-midi au local de la CGT quai de l'Hôtel-de-Ville, jouait aux boules, fulminait contre les socialistes, et buvait plus de petits blancs que nécessaire.

Après l'étourdissante défaite subie par l'Union de la gauche aux élections européennes du 17 juin, l'enfant de la classe ouvrière démissionna de son poste de Premier ministre. Il laissa la place à un jeune bourgeois brillant, dont les convictions de gauche ne sautaient pas aux yeux. Le 19 juillet, les ministres communistes quittèrent le gouvernement en bloc et la bourgeoisie respira mieux. Elle observait avec intérêt les bonnes dispositions que montraient les socialistes à se mettre au service de l'économie de marché, tout en continuant de tenir, pour le peuple, un vieux discours de gauche, bavard et fleuri, qui parlait d'égalité des chances, de justice sociale et d'avenir radieux.

– On peut tout de même lui laisser le temps de faire ses preuves.

Carlos, attendri par le beau temps et la blanquette de veau, plaidait pour la confiance et l'espoir. Quoique peu séduit a priori par la mèche à la Giscard d'Estaing et le physique de bon élève du nouveau venu, dont au demeurant il ne savait pas grand-chose, il se refusait à le condamner d'avance.

– Qu'est-ce que ça veut dire, lui donner le temps à cet enfoiré ? C'est un bourgeois, et, déjà qu'ils avaient des portefeuilles minables, les communistes ont quitté le gouvernement, c'est tout ce que je vois. Mais c'est normal que tu le défendes, tu es de la même race que lui.

Envolée, la douce torpeur digestive. Le mot « race » cingla Carlos de front. Il posa sa serviette sur la toile cirée à côté de son assiette, se leva, et, s'appuyant des deux mains au dossier de sa chaise, il détacha ses mots :

– J'en ai assez de tes insultes et de ton mépris, René, je sais que tu ne m'aimes pas, mais ne t'inquiète pas, c'est fini, tu n'auras plus à me supporter longtemps.

Puis, se tournant vers Jocelyne qui n'avait pas bougé :

– Je passe prendre mes affaires à la maison, et je me tire.

En un an et demi, depuis le retour de Bruxelles, Carlos avait changé. Ses yeux noirs brillaient de nouveau, il riait souvent, se tenait droit, repassait ses chemises, allait à la piscine, et, ayant cessé de boire, il avait retrouvé ce teint mat, appétissant et lisse, qui plaisait aux femmes. Deux soirs par semaine, il participait à un atelier d'écriture avec les membres de l'équipe artistique de *Solness le Constructeur* et rentrait tard dans la nuit. Ces soirs-là, Carmen ne s'endormait pas avant qu'il ne fût de retour. Et Jocelyne, qui travaillait dur, se levait tôt et partait avant tout le monde, s'était remise à fumer près d'un paquet de Marlboro par jour.

Jocelyne attrapa son mari par la manche.

– Arrête, assieds-toi, tu connais papa.

– Oui, ma belle, justement, je le connais, c'est pour ça que je m'en vais.

Tout en se plaignant de ses douleurs, mémé Pascaline se leva pour aller chercher le café, ordonna aux enfants d'aller jouer dehors et, se dirigeant vers la cuisinière, pressa au passage l'épaule de sa fille aînée.

– Ne t'inquiète pas ma grande, c'est les hommes, ça va lui passer.

Le grand-père René ne fit pas de commentaire, il regardait ses grosses mains croisées devant lui, attendant que son café refroidisse.

L'ombre des paulownias de la cour se dessinait sur le gravier, il faisait chaud. Sans bien comprendre ce qui était en cause, les enfants, assis par terre l'un près de l'autre, attendaient la suite, inquiets et mécontents.

Après le repas, pendant la traditionnelle promenade qui les menait place des Vosges, par la rue du Figuier, la minuscule rue du Prévôt, la cour et le jardin de l'hôtel de Sully, Jocelyne mentionna le nom des hôtels particuliers, elle insista sur leur beauté et leurs proportions classiques et harmonieuses, parce que la culture, autant que le pain, est une condition de l'égalité. De toute la promenade, elle ne lâcha pas la main de ses enfants, dont la tendresse et la tiédeur la rassuraient un peu.

– Pourquoi est-il parti ?

« Solitude », « tranquillité », « temps pour réfléchir », Jocelyne éluda en quelques mots la question de Ramon, sans convaincre Carmen qui connaissait l'oisiveté de son père et le temps libre dont il disposait. Mais la voix mal assurée de sa mère la retint, elle décida d'attendre pour lui faire part de ses doutes.

« Les enfants peuvent me joindre au… »

Le billet était posé à côté du téléphone. Carlos avait emporté la reproduction de la *Colombe* de Picasso, l'affiche de Magritte, le cendrier en forme de sombrero, rapporté par André Jaquillart d'une tournée au Mexique, des vêtements et son bol de savon à barbe.

Ramon et Carmen, couchés à plat ventre sur le lit de leurs parents, dînèrent d'une banane et d'une barre de chocolat en regardant la télévision, divertissement réservé en période normale aux mardis et samedis soir. Jocelyne téléphona à une collègue pour la prévenir qu'elle ne pourrait être à l'ouverture de la crèche le lendemain matin, puis elle appela successivement sa sœur et Samia. Elle leur parla longuement à voix basse et, avant d'éteindre la lumière, nota dans son journal que Carlos était parti.

Cette nuit-là Carmen attendit vainement le bruit de la clé dans la serrure, et finit par aller chercher, au fond de son coffre, l'ours Dédé, négligé depuis quelque temps.

Le lendemain matin, la sonnerie du téléphone fit sursauter Jocelyne qui répandit un peu de café sur la table de la cuisine. Carlos avertissait sa femme qu'il irait chercher Carmen à l'école comme d'habitude, qu'il resterait à la maison jusqu'à ce qu'elle rentre du travail, qu'il était pressé et n'avait pas le temps de parler aux enfants.

Une forte gifle s'imprima en rouge sur la joue de Ramon après qu'il eut envoyé valser son bol de chocolat en criant : « Le salaud ! »

– Tu ne parles pas de ton père comme ça, c'est compris ?

Carlos tint parole. Après la classe, il faisait goûter ses enfants, supervisait les devoirs, et quittait l'appartement dès le retour de Jocelyne. Le soir où Ramon se jeta sur lui, accroché à ses jambes pour l'empêcher de partir, son père le repoussa sans émotion.

– Calme-toi, Ramon. À demain.

Contrairement à son frère installé dans une colère permanente, accumulant cris et sottises, Carmen se recroquevilla sur elle-même, se réfugiant à la maison dans la solitude calme qu'elle pratiquait à l'école.

Elle aurait tant voulu que tout fût comme avant.

Carlos parti, l'emploi du temps restait le même.

Le mercredi d'après le drame, Carmen tourna autour de la patinoire comme une mécanique, sans avoir le cœur de faire des figures ou des sauts. De retour à la maison, le nez enfoui dans sa vieille peluche, elle contemplait son goûter sans y toucher quand des cavalcades et des rires retentirent dans l'escalier. La porte s'ouvrit sur Ramon et Damien, et sur un garçonnet de petite taille que Carmen ne connaissait pas, assez vilain, pâle et un peu gras, les cheveux marron aplatis au gel, séparés par une raie bien droite.

À grand bruit, faisant racler les chaises sur le carrelage, négligeant sa présence, les garçons s'installèrent autour de la table. Ricaneurs, électriques, déchaînés, Ramon et Damien mangeaient le Nutella à même le pot, buvaient la limonade à la bouteille, rotaient et faisaient semblant de vomir. Puis, debout sur sa chaise, Ramon entonna « Andy, dis-moi oui », accompagné par Damien, qui tapait des poings et des pieds. Le nouveau rigolait doucement. Brusquement, sous les yeux effarés de Carmen, hurlant, haineux, Ramon se saisit de Dédé, le brandit, le tordit, et pour finir le barbouilla de pâte chocolatée, à grands coups de cuillère.

– Tiens, le voilà ton sale ours, il est bien plus beau maintenant.

À travers la table, il lança à Damien la vieille peluche maculée, que Damien lui retourna en riant lui aussi. Carmen fondit en larmes.

Alors le nouveau venu attrapa l'ours au passage, le rendit à la petite fille, et dit :

– Ça va, c'est bon. Laissez-la tranquille maintenant.

Puis il ajouta :

– Moi, je serais bien content si mon père se tirait, c'est un con, et ma mère, c'est une conne.

Impressionnés, stupéfaits et admiratifs, Ramon et Damien restèrent cois, tandis que Carmen, saisie de rire, quitta la table pour aller nettoyer Dédé à l'évier. C'était son premier rire depuis le départ de Carlos.

Elle venait d'ajouter à la liste de ses hommes un garçon de banlieue qui l'avait défendue quand il le fallait, et qui ne ressemblait à rien de ce qu'elle avait rencontré jusque-là.

À onze ans, Robert Blanchart avait le teint blanc et la peau sèche. Il portait, sur des chemises de tergal boutonnées jusqu'au cou, des gilets de laine sans manches tricotés main, et venait en métro de Montrouge pour suivre la classe de sixième au collège Montaigne, parce que, brillant sujet depuis l'école primaire, son père avait veillé à ce qu'il poursuive ses études dans un lycée de bon niveau.

Pendant les récréations, debout contre un mur orienté au sud, il mâchait du chewing-gum en regardant autour de lui. Au professeur de français qui lui avait demandé ce qu'il voulait faire plus tard, il avait répondu « turfiste ».

Les déjeuners rue de l'Ave-Maria furent suspendus *sine die*.

Un dimanche, Carlos emmena ses enfants à La Coupole, parce qu'il croyait bêtement que le cadre inhabituel et imposant allait l'aider à dire ce qu'il avait à dire. Pathétique, dérisoire, implorant, il expliqua à Ramon et Carmen, piqués sur la banquette de moleskine rouge, qu'il devait penser à sa carrière, mais que, quoi qu'il arrive :

« Ils seraient toujours ses enfants,

Il les aimait plus que tout,

Leur mère et lui prendraient ensemble les décisions les concernant,

Ils pourraient le joindre à toute heure du jour et de la nuit… »

… et autres platitudes sonnant comme autant de mensonges.

Il y avait beaucoup de monde et beaucoup de bruit à La Coupole dont la hauteur de plafond et l'agitation évoquaient la salle d'embarquement d'un aéroport international. La clientèle se chamaillait pour trouver une table, les garçons traversaient le restaurant dans tous les sens, les bras chargés de lourds plateaux, tâchant, au cri de « Chaud devant ! », de se frayer un passage parmi les bourgeois parisiens et les touristes étrangers. Le tumulte de cette grande brasserie, où elle entrait pour la première fois, détourna Carmen des paroles insipides de son père.

– On s'en fiche de tout ça, dit Ramon, ce qu'on veut savoir c'est quand tu vas revenir.

– Je ne sais pas, pas tout de suite. Je ne sais pas si je vais revenir.

Jocelyne fuma énormément et tricota beaucoup. Elle se mit à acheter la presse féminine, fredonnait « dix-huit ans que je t'ai à l'œil », obtint que les réunions de cellule se tiennent rue du Regard pour éviter de laisser les enfants seuls le soir et Samia vint dormir plusieurs fois par semaine dans le petit appartement, sur le convertible du séjour. Forte de son expérience, elle rassurait son amie.

– Deux mois, pas plus, tu peux me croire.

Elle-même avait eu les plus grandes difficultés à empêcher son mari de réintégrer le domicile conjugal, après qu'il eut fugué avec une jeunesse dont les bavardages incessants et le quotient intellectuel bas l'avaient rapidement lassé.

Les prédictions de Samia se révélèrent exactes, Carlos revint à la Toussaint.

Il ne se montra plus chez ses beaux-parents, mais pour le reste tout fut comme avant. Il se remit à chercher du travail, et à boire, abandonna piscine, atelier d'écriture et chemises repassées. Pour autant, les cernes ne disparurent pas du visage de Jocelyne. Après une courte accalmie, les disputes entre les époux reprirent, plus brèves, plus violentes.

Carmen aurait souhaité ne pas les entendre mais rue du Regard on entendait tout d'une pièce à l'autre. Si la famille Diaz avait habité rue Auguste-Comte, Carmen aurait disposé d'une chambre pour elle seule, avec une cheminée en marbre, Carlos se serait retiré dans son bureau, Jocelyne dans son boudoir, et tout le monde aurait eu la paix.

Mais l'appartement était exigu et sonore, sa mère se crevait pour trois sous, et son père était sans travail.

C'est des cons, comme ceux de Robert, pensa Carmen.

La voix des garçons avait changé. Un petit duvet pâle et disgracieux marquait leurs lèvres supérieures, ils regardaient les filles et avaient délaissé la place Saint-Sulpice au profit de la place André-Honnorat, à la jonction du Grand et du Petit Luxembourg.

Après la classe, cartables et manteaux posés contre les grilles du jardin, ils jouaient au football sous les fenêtres de Brigitte Boyerdrey, qui les regardait en fumant une cigarette, la dernière. À ce moment du jour où souvent elle était triste, le spectacle des petits hommes hurlants et transpirants lui faisait du bien. Ramon se distinguait par ses cheveux noirs et sa beauté déjà frappante, Damien par ses grands bras, ses grandes jambes, son exceptionnelle aptitude à bloquer le ballon et les accès de rire qui le pliaient en deux, Robert par la curieuse casquette à soufflets qu'il s'enfonçait sur la tête, quittant la partie le premier pour rentrer dans sa banlieue.

Ramon et Damien s'étaient mis à la belote et au 421, ils ponctuaient leurs propos de nombreux jurons, de locutions nouvelles et surprenantes, et, de temps à autre, Damien achetait *Paris-Turf*, que son père lui empruntait aussitôt. Ramon rentrait de plus en plus tard après la classe. Le jour où Carlos lui en fit le reproche, il répondit « J'en parlerai à mon cheval », expression chère à Robert, et il reçut la deuxième gifle de sa vie.

Carlos sortait tous les soirs sans susciter de commentaire de la part de sa femme. Entre les époux les disputes avaient laissé place au silence, et Carmen se demandait si elle ne préférait pas la guerre à cette paix armée qui n'en finissait pas.

En novembre 1984, le nombre des chômeurs français avait dépassé les 2,5 millions. Des hommes jeunes, sans emploi et sans domicile, avec chiens et sacs à dos, avaient remplacé les vieux clochards, des communistes votaient Front national sans le dire, et les Restos du cœur, version moderne de la soupe populaire, allaient être lancés à grands coups de show télévisé. L'opposition de droite gagna confortablement les élections cantonales de mars 1985, et le 11 de ce même mois, Mikhaïl Gorbatchev, un inconnu avec une tache de vin sur la figure, fut nommé secrétaire général du parti communiste soviétique.

Le 16 mars 1986 la gauche perdit à la fois les élections législatives et régionales. Le président de la République nota que, à bien la lire, rien dans la Constitution du pays ne s'opposait à ce qu'il restât en place, ce qu'il fit. Le président charentais, de gauche, et le Premier ministre corrézien, de droite, firent assez bon ménage, à la satisfaction générale, semblait-il. L'espoir suscité en mai 1981 n'était plus qu'un vieux souvenir, et à onze ans Carmen entra en sixième au collège Montaigne.

Désormais, elle revenait seule à la maison, où, le plus souvent, elle trouvait Carlos en chaussons et d'humeur maussade, occupé à traduire de l'espagnol en français des pièces de théâtre qui ne seraient jamais jouées.

Parce qu'il ne restait rien de son bonheur de petite fille, pour se défendre, pour se protéger, Carmen s'entraîna au silence, à la dissimulation et à l'égoïsme.

Ses camarades la trouvaient fière et froide, ce que, par conséquent, elle devint. C'était avec un haussement d'épaules qu'elle accueillait les petites phrases méchantes que ses succès scolaires continuaient de susciter, ce qui ne l'empêchait pas, une à deux fois par semaine, de vomir avant de se rendre au collège. Les leçons de patin du mercredi et le piano du mardi soir lui servaient de remède, somme toute efficace, pour lutter contre le découragement.

Mme Lemoan n'avait plus ni cou ni taille. D'année en année, elle transpirait davantage, et, plus elle transpirait, plus elle était gaie.

« Ton papa est parti, mon petit lapin, ne t'inquiète pas, il va revenir. » Et de rire.

« Tu n'as pas pu faire tes exercices, ça n'est pas grave, tu les feras mieux la semaine prochaine. » Et de rire.

« Tu vas toute seule à l'école, c'est bien, profite de ta liberté, promène-toi. »

Et de rire encore, avant d'être interrompue par une quinte de toux qui menaçait de l'étouffer.

Au sortir de la leçon, ravigotée, légère, Carmen mettait à profit les conseils de la maîtresse de piano. Plutôt que de rentrer directement rue du Regard, elle traînait, passait à la librairie La Procure éclairée au néon, où l'on parlait bas comme à l'église, stationnait au rayon des livres pour enfants et des bandes dessinées, puis remontait la rue Bonaparte, en passant par le petit square bordant l'Hôtel des Impôts où des vieux promenaient leurs chiens. Rue Guynemer, elle longeait les grilles du Luxembourg en faisant glisser sa main de barreau en barreau, et elle continuait vers le lycée Montaigne avec l'espoir de rencontrer Ramon, Damien ou Robert. Quelquefois, souvent, elle allait chez Tati, dont le magasin de la rue de Rennes, à l'angle de la rue Blaise-Desgoffe, était installé dans un immeuble art nouveau, érigé par Félix Potin à sa propre gloire et à celle de l'épicerie. Elle se rendait tout droit au rayon des robes de mariée qu'elle contemplait longuement, détaillant les tenues de cérémonie en tulle pour les demoiselles d'honneur, admirant les diadèmes en strass, les jupons de dentelles, les perles, les paillettes, les tissus moirés, les jarretières à rubans et les fleurs artificielles, le tout d'une resplendissante blancheur, avec çà et là des touches rose bonbon ou bleu pâle.

Le vacarme fut inouï, une folle douleur lui fracassa la tête, elle pensa mourir.

Après l'explosion, Carmen est couchée sous un tas de chaussures en satin, face contre le sol, roulée en boule, genoux au menton. De durs sanglots la secouent, des tremblements la parcourent, ses dents claquent sans qu'elle puisse rien y faire. Autour d'elle c'est le chaos, le feu a pris dans la cage d'escalier, les rayonnages sont renversés, des hommes et des femmes, vêtements en lambeaux, mains et visages ensanglantés, courent en désordre sur la marchandise éparpillée et ruisselante. Ils crient, ils hurlent, appellent au secours. Les sirènes font un bruit terrible, le magasin est parcouru de pompiers casqués et de secouristes en blouse blanche avec des croix rouges dans le dos, des norias de cars de police et d'ambulances freinent en arc de cercle devant la façade éventrée. Carmen n'a pas bougé. Elle se cache le visage dans son bras gauche et tient serrée dans la main droite une petite bourse à fermoir doré, brodée de fleurs et d'oiseaux, jusqu'à ce qu'un jeune homme avec un brassard se penche vers elle, lui demande si elle est blessée, et tâte très délicatement ses bras et ses jambes.

– Carmen n'est pas rentrée.

Le coup de téléphone avait résonné dans la crèche vide, où Jocelyne restait travailler longtemps après le départ des enfants et des employés.

Elle courut sans s'arrêter de la rue Pape-Carpantier à la rue du Regard, tressaillant à chaque véhicule d'urgence, civil et policier, qui la dépassait en trombe, alarmes et gyrophares à plein régime, convergeant de tous les coins de Paris vers la rue de Rennes, dont le périmètre avait été bouclé. Essoufflée par sa course, suante d'inquiétude, elle trouva Carlos et Ramon dans le séjour, assis l'un contre l'autre au bord du canapé, immobiles et muets. Sans refermer la porte, Jocelyne cria :

– On va chez les flics.

– J'ai perdu le carton à musique avec toutes les partitions.

Carmen ne trouva rien d'autre à dire à ses parents, qui, debout devant elle comme devant le Saint Sacrement, se tenaient par la main et la regardaient, souriants et sans voix, contrairement à Ramon qui se rua sur sa sœur, sans savoir s'il allait l'embrasser ou la battre.

Enveloppée dans une couverture brune, rugueuse et malodorante, Carmen était assise sur un banc du poste de police qui fait le coin de la rue de Mézières et de la rue Bonaparte. L'endroit, peu avenant par nature, prenait, en la circonstance, des allures d'hôpital de campagne après un tremblement de terre. Dans un décor de peintures grises, de meubles métalliques et de néons blancs, une population disparate et affolée entrait, sortait, revenait, sollicitant et harcelant un personnel harassé et totalement dépassé par l'ampleur et le tragique de l'événement.

Avec les précautions réservées aux nouveau-nés, Carlos prit Carmen dans ses bras, et serra tendrement contre lui le corps intact et précieux de sa fille. Reine d'un soir, la tête dans le cou de son père, le menton calé sur son épaule, Carmen souriait. Les perles et les broderies de la petite bourse de satin synthétique, qu'elle n'avait pas lâchée depuis l'explosion, marquaient sa paume. La nuit commençait de tomber sur le sixième arrondissement de Paris, qui, lentement, recouvrait son calme.

Le 17 septembre 1986 un attentat fit six morts et cinquante blessés rue de Rennes, en face de chez Tati, où Carmen ne retourna plus voir les robes de mariée.

On put croire pendant un court laps de temps que Carlos et Jocelyne s'aimaient à nouveau. Une euphorie passagère souffla rue du Regard, puis les disputes reprirent et, au début du mois de janvier 1987, Carlos, qui n'y croyait plus, retrouva du travail.

Le contrat fut signé pour douze mois reconductibles. Outre les trente soirées parisiennes, soixante représentations étaient prévues en province, en Europe et dans le monde entier. La compagnie de la Grande Ourse, dirigée par Marianne Eccart, était une grande troupe, et Marianne Eccart un grand metteur en scène à la recherche de son Perdican. C'est André Jaquillart qui lui avait présenté Carlos.

– Elle a du génie, mais elle n'est pas facile, je t'aurai prévenu !

Marianne Eccart n'aimait ni les hommes, ni les femmes, ni la vraie vie, elle aimait le théâtre et les comédiens, mâles ou femelles, qu'elle choisissait, dégustait et jetait.

– C'est lui, c'est Perdican.

Il y eut coup de foudre. La beauté noire et veloutée de Carlos, les proportions parfaites de son visage à la Greco, les yeux immenses qu'on aurait dit, au choix, maquillés de kohol ou brillants de larmes, touchèrent au cœur l'artiste applaudie et capricieuse.

On célébra l'événement, rue du Regard, autour d'une paella géante, spécialité incontestée de Carlos. Tout en aidant Jocelyne à faire le service, Samia constata combien son amie avait maigri ces derniers mois, et combien cette maigreur la vieillissait, creusant au couteau la rudesse de ses traits. La crèche et les réunions, qui se multipliaient après la déroute des communistes aux dernières élections, l'absorbaient entièrement. Elle veillait au bien-être et à la santé des petits à sa charge, défendait son personnel contre la municipalité de Paris et, le soir, cherchait, avec des camarades, aveugles et butés comme elle, le moyen d'enrayer la chute vertigineuse de son parti. Elle n'avait ni le temps ni l'envie de penser à l'état pitoyable de son couple.

La compagnie de la Grande Ourse disposait d'une salle de six cents places à la Cartoucherie de Vincennes, au milieu des bois et des chants d'oiseaux, dans cet enclos consacré au théâtre que Marianne Eccart et quelques autres avaient arraché aux pouvoirs publics après mai 1968.

Marianne Eccart exigeait de ses comédiens deux choses : des rôles travaillés en profondeur et une participation active à l'entretien du théâtre – ménage, cuisine, etc. Pendant les répétitions, la présence était obligatoire, de dix heures à dix-neuf heures trente, et, pour finir sa journée, le rôle-titre balayait la scène, ramassait les mégots et vidait les poubelles.

– Cela lui remet les idées en place, disait finement Marianne d'une voix fluette et enfantine, qui surprenait, sortant de ce grand corps balourd.

Les absences prolongées de Carlos n'affectaient pas Jocelyne, au contraire. Moins les époux se croisaient, moins ils se heurtaient.

De cinq heures du soir à la tombée de la nuit, les enfants étaient laissés à eux-mêmes. Carmen, qui avait investi la loggia de ses parents, s'y adonnait à la lecture, y faisait ses devoirs en écoutant Daniel Balavoine chanter *Sauver l'amour*, sur le petit transistor rose que Brigitte Boyerdrey lui avait donné pour son anniversaire, et depuis peu, à l'instar de sa mère, elle y rédigeait son journal, dans un carnet relié et fermé d'un cadenas dont elle gardait la clé dans sa trousse. Quelquefois Damien et Robert passaient rue du Regard après la classe. Ils répondaient brièvement au salut que leur adressait Carmen à travers les barreaux de l'escalier, Damien lui faisait un petit clin d'œil, puis les trois garçons prenaient dans la cuisine une bouteille de soda, un paquet de biscuits, et fermaient sur eux la porte de la chambre. Carmen aurait juré qu'ils fumaient en cachette.

Carlos rentrait vers les neuf heures quand Jocelyne partait en réunion. De plus en plus fréquemment il prévenait que la répétition se prolongeait, et qu'il passerait la nuit chez des copains, du côté de la Porte Dorée.

– Maintenant tu sais ce que c'est d'avoir un père qui n'est jamais à la maison, dit Damien à Ramon.

– Tu ne connais pas ton bonheur mon petit pote, ajouta Robert.

La première de *Badine*, titre familier et affectueux que donnent les gens de théâtre à la pièce d'Alfred de Musset *On ne badine pas avec l'amour*, fut programmée le 12 octobre 1987, sur décision de Marianne, qui avait constaté que le début de la saison est le meilleur moment pour ferrer un public encore dispos et bien intentionné. Ce même jour, Pierre Juquin, stalinien repenti, se porta candidat des communistes nouvelle manière, pour l'élection présidentielle d'avril 1988, ce qui provoqua peu d'émotion dans l'opinion publique, et aucune auprès des membres de la compagnie de la Grande Ourse indifférents à tout, sauf à la représentation du soir.

Jocelyne avait fait son choix. Solidaire des vieux militants, elle voterait Lajoinie comme son père. Elle aussi attendait le soir avec appréhension.

Ils vinrent en voiture avec André.

Jocelyne portait des boucles d'oreilles en argent à pampilles tombant jusqu'aux épaules et une cape rouille, de la couleur des feuilles jonchant les pelouses de la Cartoucherie. André connaissait tout le monde, il embrassait indifféremment hommes et femmes, et présentait à la ronde les enfants de Carlos, dont la beauté et la ressemblance avec leur père faisaient l'objet de commentaires flatteurs, que Jocelyne recevait comme autant de petites blessures, dont elle avait l'habitude.

– C'est pourtant vrai qu'ils lui ressemblent.

Le régisseur de l'Odéon était un homme important qui demeurait dans la place tandis que le théâtre, qui se cherchait depuis la fin du théâtre des Nations, passait de main en main, sans trouver sa voie. Chacun le courtisait, et bien des comédiennes auraient souhaité qu'il renonçât pour elles au célibat, ce qu'André Jaquillart n'envisageait jamais.

Pendant que les adultes buvaient des bières et du vin au bar, causant montage, tournées et productions, les enfants allèrent jouer dehors. Carmen fit des éventails de dentelle avec les feuilles des marronniers et Ramon mit des coups de pied dans les bogues vertes, hérissées et encore closes. C'était une belle soirée d'automne, tiède et dorée.

À plusieurs reprises déjà, les enfants avaient vu leur père sur scène, dans de petites salles de la banlieue rouge aux trois quarts vides, où, à force de persuasion, Jocelyne avait réussi à faire acheter, par le théâtre municipal, une ou deux représentations de ces pièces contemporaines que leur père et ses amis affectionnaient.

Ce soir, la salle était pleine. On dut installer les spectateurs en surnombre sur les marches du théâtre, ce qui occasionna quelques remous.

Le contraste entre le dépouillement voulu du décor et la richesse des costumes était à la hauteur des réalisations précédentes de la compagnie, les acteurs étaient bons, le rythme au métronome, et Carlos, servi par des lumières créées pour lui, donna le texte à la perfection.

« C'est moi qui ai vécu, et non pas un être factice… »

Collée à l'œilleton derrière le rideau, Marianne se délectait à la vue des spectateurs rassemblés dans l'émotion et le plaisir. Comme d'habitude elle avait réussi son affaire, le public ovationnait debout le nouveau Perdican. Ramon applaudissait de toutes ses forces, il jubilait, il exultait. Demain il brandirait devant Damien les journaux qui, toutes tendances confondues, encenseraient son père, voyant en lui le nouveau Gérard Philipe.

– Je t'avais dit que c'était un métier.

Au foyer, ce fut la fête.

– Mes chéris, mes chéris…

Marianne distribuait les compliments, et embrassait à tour de bras. Ses comédiens avaient bien travaillé, elle avait fait de Carlos ce qu'elle avait voulu, elle l'avait plié, pétri, façonné à sa main. L'avenir s'annonçait radieux.

Carmen n'aimait pas le théâtre. Son père, sur scène, ne lui appartenait plus, c'était un autre, un étranger qu'elle ne connaissait pas, qui l'intimidait, et dont elle s'écartait quand, le spectacle fini, encore humide de sueur et mal démaquillé, il se penchait vers elle pour l'embrasser.

– Venez mes enfants, je vais vous présenter à Marianne et à Olga.

Olga Vandenove était jolie. Elle avait campé une Rosette fraîche et touchante, mais son sourire enjôleur et le baiser sucré qui l'accompagnait ne trompèrent pas Carmen, qui ressentit pour la jeune personne une méfiance immédiate. Quant à Marianne Eccart, elle la détesta d'emblée.

De cet instant, Carmen eut la certitude que le mal viendrait des deux femmes, de la jeune rouée aux yeux de chatte, de la vieille, surtout, qui la regardait du regard indifférent et moqueur que certains adultes réservent aux enfants.

Après la première de *Badine*, il restait à Carlos deux ans et un mois de vie.

Il quitta pour la seconde fois la rue du Regard, et partit s'installer rue des Boulets, dans le deux-pièces qu'Olga Vandenove louait près de la Nation, à dix minutes de la Cartoucherie. Jocelyne avait quarante-deux ans, Olga vingt-quatre.

À Marianne Eccart, on ne donnait pas d'âge. Rassasiée de Perdican, mais toujours entichée de Carlos, elle hésita pour sa prochaine création entre *Hamlet* et *Dom Juan*. Molière l'emporta sur Shakespeare, le succès se renouvela. La France, et tout ce que le monde compte de pays francophones, réclama *Dom Juan*. Toutefois, si les critiques louèrent la mise en scène, ils commencèrent d'émettre des réserves sur Carlos. L'un d'eux titra « La nouvelle marionnette de Madame Eccart ».

Les enfants voyaient leur père entre deux tournées. Il leur envoyait des lettres et des cartes postales, rapportait des cadeaux, et les emmenait déjeuner au restaurant le samedi, quand Marianne voulait bien le libérer. Ramon dormit plusieurs fois rue des Boulets. Quant à Carmen, elle avait juré qu'elle n'adresserait pas la parole à la maîtresse de son père. Le serment fut tenu.

III

La tache un peu grasse, d'un brun tirant sur le vieux rose, dégageait une odeur douce et salée, qui ne lui déplut pas.

Le jour de la fête organisée par Brigitte Boyerdrey pour les dix-huit ans de Véronique, Carmen remarqua sur son pyjama une tache de sang de la taille d'une pièce de cinq francs, qui ne la surprit pas outre mesure. Jocelyne était une mère moderne, et Carmen une fille avertie. Douze ans et sept mois lui parut un âge raisonnable pour devenir femme, ce qu'elle annonça tout uniment à Jocelyne, en s'asseyant à la table de la cuisine, plus préoccupée par ce qu'elle allait mettre pour la soirée d'anniversaire que par l'apparition de ses premières règles.

La nouvelle provoqua chez Jocelyne des sentiments d'émotion, d'attendrissement et de jalousie mêlés. De cette vieille jalousie de la mère pour la fille, suscitée par l'amour déraisonnable que Carlos porta à Carmen dès sa naissance, avant même de l'avoir tenue dans ses bras.

La beauté prometteuse de l'adolescente lui rappelait sans cesse qu'elle-même n'avait jamais été jolie, et que, à l'âge où elle était rendue, ses chances de plaire étaient bien minces. Mais Jocelyne était juste et maîtresse d'elle-même. Carmen n'eut jamais à souffrir de cette jalousie dont chacun sait, du reste, qu'elle n'est pas un obstacle à l'amour.

Quoique peu portée aux caresses, Jocelyne enlaça Carmen et elle l'embrassa pour fêter l'événement.

– Occupons-nous d'abord de cette petite tache. Pour ce soir, tu mettras le corsage blanc que j'ai repassé hier.

Carmen n'allait plus chez Tati. En revanche, puisque personne ne l'attendait rue du Regard, elle traînait après la classe au sous-sol du Bon Marché, au rayon des jeux et des perles, des livres et de la papeterie, parfois même au rayon bricolage.

– Bonjour Carmen.

Brigitte Boyerdrey traînait aussi au rayon bricolage, où elle venait chercher le matériel nécessaire au cours d'encadrement qu'elle suivait sans conviction depuis le début de l'année scolaire, avec d'autres femmes désœuvrées. Ses enfants n'avaient plus besoin d'elle pour surveiller leurs devoirs, et son employé de maison, un jeune Tamoul parlant mal le français, s'occupait de tout rue Auguste-Comte. Sur les instances de son fils, elle avait vu *Badine* et *Dom Juan*, elle savait que Carlos était parti, que Ramon était malheureux et qu'il travaillait mal.

Le salon de thé du grand magasin, sa verrière, les serveuses en robe noire, col Claudine et tablier blanc, les plantes vertes dans les grands pots de mosaïque bariolée, la désuétude et le calme des lieux portaient aux conversations et aux confidences. Carmen accepta avec plaisir l'invitation de Brigitte. Entre deux gorgées de chocolat chaud, pour se faire valoir aux yeux de cette femme jolie et gentille, qui demeurait à tous égards son idéal féminin, Carmen parla de ses succès scolaires, de ses lectures, de ses leçons de piano et du sport qu'elle pratiquait le mercredi après-midi. Au total elle brossa d'elle-même un portrait flatteur de jeune fille modèle et moderne, dont, au fil de la conversation, elle se persuada.

L'enfant blessée, frimant pour dissimuler son chagrin, fit l'admiration de Brigitte. Elle revit la petite fille maigre, intense et timide, qui la mangeait des yeux, et qu'elle avait, autrefois, invitée à l'anniversaire de son fils. Dans le même élan, pour les mêmes raisons, elle pria Carmen de venir à la fête organisée pour les dix-huit ans de Véronique, ce qui n'était pas prévu, et irriterait son mari, ce dont elle se moquait.

Le palier était orné d'églantiers blancs et roses, et derrière une petite table, une jeune Asiatique au teint pâle prenait les manteaux des invités et les accrochait à des portants installés de part et d'autre de l'ascenseur. Ramon et Robert se seraient volontiers passés de la compagnie de Carmen, dont ils étaient décidés à oublier la présence dès franchi le seuil de l'appartement. Pour la circonstance un impressionnant buffet avait été dressé dans la salle à manger, tandis que des faisceaux de lumière rouge, jaune et verte, zébraient le salon de haut en bas, dessinant des arabesques au plafond, et que, à la console, anneau à l'oreille, crâne passé au papier de verre et bras nus, un disc-jockey, dégoté par Robert, envoyait la musique à fond.

La bouteille de whisky, marquée à ses initiales, que Jean Boyerdrey faisait venir de Dublin, était déjà bien entamée. Réfugiés dans le bureau du maître de maison, les parents de Véronique et leurs amis parlaient des présidentielles prévues dans moins de deux mois, faisaient des paris sur la candidature de François Mitterrand, et les partisans de Raymond Barre s'accrochaient mollement avec ceux de Jacques Chirac.

Le chemisier à volants, la natte noire, le cou gracile et les petits seins de Carmen n'attirèrent aucun regard. Assise près de la cheminée, à la place qui semblait lui être destinée quand il y avait fête chez les Boyerdrey, elle contemplait les danseurs qui sautaient et viraient, levaient les bras au ciel, s'éloignaient et se rapprochaient, sans presque se toucher. Robert, qui, pour l'occasion, avait échangé le gilet tricoté et la chemise de tergal beige contre une veste grise et une chemise bleue, fixait, bouche ouverte, une adolescente ronde et rousse, bien douée pour la danse du ventre. Damien faisait le pitre, louchait et tirait la langue, Ramon, les yeux clos, se balançait d'un pied sur l'autre, dans une sorte de transe.

Carmen, qui s'ennuyait ferme depuis un moment, se leva, quitta le salon, et s'enfonça dans le grand appartement, jusqu'à la lingerie dont elle poussa tout doucement la porte.

Faiblement éclairé par la lumière de la rue, à demi caché derrière une machine à sécher le linge, Jean Boyerdrey est là, en compagnie d'une vieille blonde dont il agrippe les fesses d'une main, farfouillant de l'autre sous la jupe relevée. Le couple s'embrasse sur la bouche avec un bruit mouillé de veau qui tète.

Des gens qui s'embrassent, Carmen en a vu souvent, dans la rue, au Luxembourg, au cinéma, ses parents autrefois. Pourtant, ce qu'elle voit ce soir est nouveau. Le spectacle légèrement bestial donné par le père de Damien et sa partenaire la surprend et l'intéresse. Dans l'entrebâillement de la porte, elle observe l'homme et la femme qui se croient seuls, tandis qu'une petite bête s'installe au bas de son ventre, qui griffe et caresse, lui procurant une sensation inconnue, gênante et délicieuse.

Le bruit de la fête, la musique et les pulsations des basses parviennent en sourdine jusqu'à la lingerie. Quand, enfin conscient d'une présence, Jean Boyerdrey tourne la tête et l'aperçoit, Carmen le fixe, lui sourit gentiment et referme la porte sans bruit.

– Ramène-moi, Ramon, je m'embête.

Ramon continuait de se déhancher sur place sous la protection de Damien qui réussissait par ses pitreries à contenir un cercle strident de filles essayant en vain d'attirer l'attention du bel adolescent. Robert dansait peu et regardait beaucoup. Il se proposa pour raccompagner Carmen.

– J'en aurai pour cinq minutes, et j'ai envie de prendre l'air.

Dans la rue d'Assas déserte, Robert marchait vite et sans parler, cinq pas devant Carmen obligée de courir pour rester à sa hauteur. Arrivée au croisement de la rue de Vaugirard, devant la triste façade du dispensaire Arthur Vernes, où les habitants du quartier viennent se faire soigner gratis, elle attrapa Robert par le bras et l'arrêta pour lui dire en une seule phrase qu'elle avait surpris un homme en train d'embrasser une femme, en faisant du bruit et en relevant sa robe.

L'affaire de l'ours en peluche avait scellé entre Carmen et Robert une sorte d'alliance. La rudesse du garçon, ses silences, ses réactions imprévisibles et son air revenu de tout ne la rebutaient pas, elle avait confiance.

– Je t'assure qu'ils étaient dégoûtants.

– Ça va, Carmen, je te crois, mais presse-toi, on ne va pas y passer la nuit.

La petite bête n'avait pas quitté le ventre de Carmen, qui se repassait en boucle la scène de la lingerie. En bas de chez elle, la clé dans la serrure, tout à trac, hors d'elle, elle s'accrocha au cou de Robert.

– Embrasse-moi Robert, je veux savoir ce que ça fait.

Fermement, sans ménagement ni brutalité, Robert se dégagea des bras de la fillette, la prit par les épaules et la poussa vers la porte.

Robert était bien au fait de la détresse adolescente. Il connaissait les coups de cafard, les nuits moites, courtes et agitées, les réveils pénibles, et les mouchoirs chiffonnés jetés au matin, en douce, dans le panier à linge. Il ne fut ni surpris ni choqué par les débordements de Carmen.

– Va te coucher, Carmen, et ne t'en fais pas, tu en verras d'autres. Les adultes, c'est comme ça. Bonne nuit.

Quand sa mère, qui l'attendait dans le séjour, demanda à Carmen qui l'avait raccompagnée, et si elle s'était bien amusée chez les riches, Carmen, en colère, répondit que c'était Robert, que c'était nul, et que, pour le jour de ses premières règles, c'était raté.

Le 8 mai 1988 François Mitterrand fut réélu à la présidence de la République. Beaucoup de Français s'étaient attachés à cet homme de gauche venu de la droite. Ils se reconnaissaient en lui, aimaient ses attaches provinciales, son talent, sa rouerie et son goût du secret.

L'effet bénéfique de la présidentielle n'étant pas encore tout à fait émoussé, les élections municipales du 19 mars 1989 furent, d'extrême justesse, favorables aux socialistes. La France vieillissait, repliée sur elle-même. Elle s'enlisait dans les affaires de financement des partis politiques et se préparait, sans susciter l'intérêt des masses, à célébrer le bicentenaire de la révolution de 1789, façon paillettes, grandes eaux et défilé de mode. Le palais de l'Élysée faisait, plus que jamais, figure de petit Versailles.

La sourde inquiétude de sa mère, sa surveillance feutrée et insistante, les questions incessantes de sa sœur horripilaient Ramon, étouffé par l'atmosphère de ce foyer sans homme. Il se tenait au plus près de Damien et de Robert, à l'écart autant que possible du monde des adultes.

Les garçons ne se plaisaient qu'entre eux, formant à eux trois une sorte de meute. Ils se chamaillaient, se frottaient et se reniflaient, bricolaient leurs vélos, jouaient au flipper, achetaient en commun des revues cochonnes, prenaient des paris sur celui qui coucherait le premier avec une fille, et, après les cours, fumaient de l'herbe au Luxembourg. Les soirs de cafard, ils empruntaient l'escalier de service de la rue Auguste-Comte pour aller se promener sur les toits de Paris, en s'approchant le plus possible du bord. Quand ils n'étaient pas ensemble, ils se téléphonaient.

Carmen les trouvait bruyants, grossiers et malodorants, mais ils étaient les acteurs de sa vie, et quand ils envahissaient la rue du Regard, la contraignant à se réfugier dans la loggia, elle était contente. Ses hommes à portée de la main.

Au collège, protégée par le grand nombre, moins exposée aux sarcasmes et aux moqueries qu'à l'école primaire, elle entretenait avec ses semblables des relations cordiales, distantes, neutres et lisses, et lorsque ses professeurs s'inquiétaient de son isolement, elle les rassurait, leur affirmant que tout allait bien. Puisqu'en effet, l'adolescente était bonne en tout, y compris en éducation physique, le corps enseignant en conclut qu'il n'y avait pas matière à se faire du souci, ce qui était globalement exact.

Géraldine Agouasse arriva le lundi, veille du printemps, à dix heures vingt, au milieu du cours d'anglais, accompagnée par Mme la Proviseure qui recommanda aux élèves de lui réserver le meilleur accueil.

À la récréation on fit cercle autour de la nouvelle, on la questionna sur elle, sur sa vie, le pourquoi de sa venue à Montaigne en cours d'année, la profession de ses parents.

– Mon père est architecte, ma mère ne fait rien, elle est morte.

L'information donnée d'une voix ferme, claire et bien articulée, laissa l'auditoire gêné et muet. Au lycée Montaigne, les enfants de couples séparés ne se comptaient plus, en revanche les orphelins étaient rares.

Excitée, exaltée par cette première rencontre avec, ce qu'il faut bien nommer, un genre d'héroïne, Carmen détailla minutieusement celle que rien, en apparence, ne distinguait des autres.

Gros cheveux jaunes en queue de cheval, pommettes ovales et saillantes, piquées de quelques taches de rousseur, attaches épaisses, yeux petits, vifs et marron, Géraldine Agouasse, grande pour ses treize ans, parlait avec un soupçon d'accent du Sud-Ouest. Elle sentait le savon de Marseille, mangeait ses ongles et avait une fossette au menton. L'ensemble de sa personne, un peu gauche, était d'un naturel réconfortant.

Carmen chercha longtemps le moyen de se rapprocher de l'orpheline, bonne en sciences, mauvaise en langues, qui, sans leur demander leur avis, s'était jointe aux garçons pour les jeux de balle. Au bout de trois semaines, elle se décida, elle attaquerait au stade, pendant le cours de gymnastique.

En dépit de son mètre cinquante, Carmen excellait à la course. Ses après-midi hebdomadaires de patin à glace lui avaient donné de l'équilibre, des jambes, des muscles et du souffle. Au centre sportif Pailleron, on connaissait ses performances en figures, en saut et en vitesse, étonnantes pour sa taille et son âge.

Au cent mètres, loin devant les autres, Géraldine et Carmen sont au coude à coude, la grande fait une enjambée quand la petite en fait deux. Carmen est endurante et teigneuse, elle ne craint pas l'effort, elle l'aime et le recherche, ses victoires constituent le socle et les murailles du fragile dispositif qui la protège. La course, elle va la gagner.

Accroupie contre le grillage, mains croisées en avant, tête baissée entre les genoux, Géraldine n'en revient pas d'avoir été distancée par ce petit modèle venu tranquillement s'asseoir à ses côtés pour boire, retirer ses chaussures et masser ses mollets et ses pieds douloureux.

– On peut savoir où tu as pris ces jambes ?

– Patin à glace, tous les mercredis après-midi, depuis que j'ai six ans.

Carmen précise que c'est un secret, qu'elle prétend aller à la piscine, pour éviter les moqueries de son frère et de ses amis, qui estiment que le patinage artistique est un sport mièvre et ridicule, ignorant l'endurance, la force et l'adresse qu'il requiert.

Contrairement à son habituelle réserve, Carmen se confia, elle s'abandonna sans réfléchir à la grande fille blonde qui n'avait pas de mère, ce qui, sans qu'elle sût pourquoi, l'attirait irrésistiblement.

En classe, elles s'assirent l'une à côté de l'autre, et le soir Carmen raccompagnait la nouvelle au foyer de jeunes filles de la rue d'Assas, au-dessus du bistrot qui fait le coin avec la rue Vavin. Son père travaillait en Angleterre et ses deux frères étaient pensionnaires dans un grand lycée privé proche de la place de la Nation. Les week-ends, une tante éloignée les hébergeait dans un grand appartement non chauffé. C'était une bigote mal soignée, qui les forçait à se rendre à la messe.

Par bribes, Géraldine raconta son histoire. Sa famille possédait une maison près de Toulouse, où son père autrefois avait son agence. L'agence avait périclité, il était parti gagner sa vie à l'étranger, et sa mère s'était mise à prendre des médicaments. Carmen admira et envia le détachement de Géraldine qui déclinait les faits froidement, poussant le chic jusqu'à rire parfois de son malheur. Pour n'être pas de reste, elle déclara, riant elle aussi, que son propre père les avait abandonnés sous prétexte que, à l'orée de la quarantaine, il avait enfin trouvé du travail et, en prime, une maîtresse de vingt ans.

Carlos et Jocelyne ne se voyaient plus, ils communiquaient par lettre ou par téléphone pour régler les questions concernant leurs enfants. Cheveux courts passés au henné, jean et veste noire en cuir plongé, Jocelyne avait changé de style. Elle se faisait à sa vie de mère célibataire, perpétuant obstinément la guerre paternelle contre l'injustice et ceux qui en étaient la cause à ses yeux. Ce combat chimérique la tenait, il l'empêchait de sombrer lorsqu'elle pensait à Carlos, ce qu'elle faisait le moins possible.

– Débranche-le, Samia. Si tu ne le fais pas, je le ferai moi-même.

C'est rue du Regard que les pompiers ont appelé, à l'adresse qui figure toujours sur la carte d'identité de Carlos. L'accident s'est produit à l'aube, sur l'autoroute du Sud, à hauteur de Jouy-en-Josas. La femme qui était au volant s'est endormie, laissant le côté droit du véhicule s'encastrer dans le poids lourd qui les précédait. Elle est indemne. Carlos et Marianne rentraient de Marseille où *Dom Juan* avait été donné au théâtre de la Criée, le soir même ils devaient jouer à Lille.

Depuis deux mois Carlos est en service de réanimation à l'hôpital Saint-Antoine où Samia est surveillante.

Il ne parle plus, ne s'alimente pas, il est percé de tuyaux et de tubes, raccordé à des machines indéchiffrables pour le commun des mortels, à l'exception de celle qui enregistre les battements de son cœur, en faible houle, d'un bout à l'autre de l'écran.

Jaune, yeux à demi fermés, bouche à demi ouverte, le pan gauche de son visage effondré sur le maxillaire, nez proéminent et grotesque, Carlos Diaz est méconnaissable.

Quand elle n'est pas de nuit, Samia va dormir sur le canapé de la rue du Regard. Elle parle avec Jocelyne qui ne peut pas dormir, lui masse le dos et les épaules et lui prépare des tisanes de tilleul sucrées avec du miel. Depuis qu'elles ont fait ensemble l'école d'infirmières, elles ne se sont jamais quittées. Elles se disputent, se querellent, ne sont d'accord ni sur les nouvelles orientations de leur parti, ni sur la façon de s'habiller, ni sur celle de faire la cuisine, elles n'aiment ni les mêmes films ni les mêmes livres, mais chacune est là quand l'autre en a besoin.

– Débranche-le, je te dis.

Les médecins sont formels, s'il est possible que Carlos survive, il est certain qu'il ne recouvrera jamais l'usage de ses jambes, ni vraisemblablement celui de la parole. Quant à son visage, il est définitivement saccagé.

Témoin au mariage de son amie avec le plus beau garçon de sa génération, Samia a vu Jocelyne perdre sa jeunesse à travailler, à se priver, à s'esquinter pour faire vivre cet homme faible et rêveur, qui ne voulait rien faire, que jouer la comédie. Elle l'a vue tenir bon quand Carlos a été enlevé par Marianne Eccart, assistée d'Olga Vandenove. Elle l'a vue manifester de la fierté devant le succès de son mari qui était aussi le sien, et renvoyer à leurs affaires ceux qui lui offraient de la pitié.

Samia ne souhaite pas que Jocelyne pousse en petite voiture jusqu'à la fin de ses jours un être difforme, bavant et balbutiant. Elle a quitté la chambre sans répondre.

Jocelyne reste debout à côté de son mari, la main posée sur son front.

Qu'il parte, qu'on en finisse ! Que le souvenir de celui qui a abandonné ses enfants s'efface au profit du père aimant qui les attendait à la porte de l'école, les embrassait, les grondait, disait des blagues et leur chantait des chansons espagnoles. Que le souvenir de celui qui l'a trahie s'efface au profit de celui qui l'avait aimée autrefois.

Du pouce, elle s'attarde sur le petit espace entre les sourcils, elle le caresse pour en atténuer la ride profonde qui s'y marque de biais et qu'elle a vue se creuser peu à peu, puis elle ferme pour de bon les yeux noirs de Carlos Diaz.

– Tu me pardonnes, je sais que tu me pardonnes, si tu pouvais, tu me demanderais de le faire.

En passant devant Samia qui l'attend dans le couloir, en fumant une cigarette malgré l'interdiction formelle, elle lance :

– À toi de jouer maintenant.

Il y eut du monde au cimetière parisien de Bagneux, le 6 décembre 1989, un mois, presque jour pour jour après la chute du mur de Berlin. Un beau soleil d'hiver, rond et blanc, bien net et bien visible, brillait à travers les branches sans feuilles des gros platanes qui bordent le mur d'enceinte.

Les camarades du parti, les membres de la famille, André et Samia entouraient Jocelyne et ses enfants, Brigitte Boyerdrey, Damien, Robert et Géraldine se tenaient quelques pas en arrière. À l'exception d'Olga, la compagnie de la Grande Ourse était présente au complet, Marianne Eccart en tête.

Quand Jocelyne, tout en noir, se posta au bord de la fosse, écartant d'un geste les employés des pompes funèbres, Carmen pensa que sa mère devenait folle. Jocelyne s'était emparée d'une bêche de fossoyeur, elle la tenait comme une lance, et la pointait en direction de Marianne Eccart.

– On ne le mettra pas en terre tant que vous serez là avec votre bande, madame Eccart. Je m'y opposerai, quitte à descendre dans la tombe. Je ne plaisante pas. Partez, vous n'auriez pas dû venir, vous le savez.

Il n'y avait rien de ridicule dans l'attitude de Jocelyne Diaz. Au contraire, elle était admirable.

On chuchota, on s'agita, on protesta parmi les théâtreux, jusqu'à ce qu'André Jaquillart s'approche et parlemente avec Marianne. Elle résista un peu, pour la forme, puis, pour une fois vaincue, marcha vers la sortie, mains croisées dans le dos, à grands pas, hochant sa grosse tête de droite et de gauche en signe de désaccord et de dépit, sa troupe en rang derrière elle. Les quelques visiteurs penchés sur les tombes furent distraits dans leurs prières par cette retraite bariolée et murmurante, ils levèrent la tête pour mieux voir les fauteurs de trouble. Ils les suivaient encore du regard quand les cuivres d'une fanfare entonnèrent *El paso del Ebro*. Sans en référer à quiconque, Jocelyne avait convoqué les musiciens de la fanfare des Beaux-Arts, ses voisins du dimanche au marché de Buci. Carlos aimait ce chant qui est, que cela plaise ou non, le chant de l'Espagne républicaine. Elle les avait payés pour cela, c'était la dernière fois que Jocelyne payait pour Carlos.

Carmen posa une petite photo de Carlos près de son lit, dans un cadre de bois verni. C'était un instantané pas très net, pris en Auvergne quand elle avait cinq ans. On y voyait Carlos sauter un ruisseau, bras levés vers le ciel, chemise ouverte, cheveux décoiffés, dents blanches, aussi blanches que la neige encore accrochée au sommet du puy de Dôme, en ce mois d'avril 1980. Carmen ne voulait pas se souvenir des dernières années. Elle se souvenait de son père d'avant. Celui dont l'absence la ravageait, provoquant à tout moment des accès de larmes qu'elle contenait en pressant la langue contre le palais, avalant sa salive et contractant la gorge. Ne plus le toucher, l'embrasser et le voir, ne plus lui parler était inconcevable. D'une manière ou d'une autre, il devait revenir.

C'est en cauchemars qu'il revenait, couché sur son lit d'hôpital, presque mort, dans le tic-tac et l'affreux bourdonnement de l'électronique environnante.

La vidéo de *Badine* fut enterrée sous les vieux jouets au fond du coffre. Carmen ne la visionna jamais, et elle refusa de voir ses grands-parents Bergeron. Pour absoudre Carlos, pour supporter son absence, Carmen avait trouvé et désigné les coupables : la branche maternelle.

Les paroles conciliantes d'André Jaquillart n'y pouvaient rien.

Moins aimé du mort, Ramon fut moins sévère pour sa mère. Sourd à la guerre qui couvait entre elle et sa sœur, il avait bien assez de son propre chagrin. Assommé par la mort de son père, ses accès de colère et ses coups de sang se firent plus rares. Il évitait de laisser traîner ses affaires, descendait la poubelle et rapportait le pain. Le plus souvent possible, il se réfugiait rue Auguste-Comte où Jean Boyerdrey, moins cynique, moins insensible qu'il ne voulait s'en donner l'air, lui manifestait sa compassion à sa manière, alternant tapes dans le dos, grognements amicaux ou verres de son précieux whisky, ce que Ramon préférait nettement.

Jocelyne et Carmen se parlaient peu, partageaient les tâches ménagères, sans querelles ni éclats, gardant leurs forces pour des choses autrement importantes : le sort des travailleurs pour l'une, pour l'autre le départ vers une vie meilleure. En attendant, parce que le temps était venu de séparer le frère de la sœur, Jocelyne dormit dorénavant sur le canapé du séjour et Carmen dans la loggia, d'où le grand lit avait disparu.

– Non, je t'assure, je ne le retrouve pas.

Entre fleurs en plastique, angelots blancs, urnes noires et dédicaces aux morts, elles avaient arpenté le cimetière en tous sens, naviguant à vue le long des allées étroites et irrégulières où, à plusieurs reprises, leur chemin avait croisé celui d'un vieillard poussant avec difficulté un fauteuil roulant dans lequel était assis un homme jeune, maigre et gris, aux yeux méchants. Il faisait un sale temps froid. Sans écharpe et sans gants, vêtues d'anoraks trop légers pour la saison, Carmen et Géraldine avaient l'onglée, le nez qui coulait, les oreilles violettes.

Tout compte fait, l'idée d'un pèlerinage au cimetière de Bagneux, par deux degrés en dessous de zéro, en ce mercredi après-midi de décembre 1990, n'était peut-être pas si bonne.

Le premier anniversaire de la mort de Carlos remontait à quinze jours. Le chagrin était toujours vif, mais la douleur, par moments, s'estompait, l'image perdait de sa netteté ; quant à la voix, Carmen peinait à s'en souvenir. Elle s'en voulait de souffrir moins et cherchait le moyen de raviver sa peine, de gratter la blessure, de conjurer l'oubli. Géraldine, bien placée pour lui venir en aide, lui avait conseillé une visite au cimetière.

– Tu verras, ça fait du bien.

Elle gardait un excellent souvenir du pèlerinage à Toulouse, effectué en famille à la Toussaint dernière.

Colette Agouasse, née Fromentin, 1946-1988.

Ils avaient planté un rosier anglais au bord de la tombe, puis le père et ses enfants étaient allés déjeuner à la Brasserie du Théâtre, au bord de la Garonne. La nourriture était bonne, le cadre charmant, ils étaient gais, paisibles, contents d'être ensemble.

Mais Carmen n'avait prévenu ni sa mère ni son frère de cette expédition et n'avait pas su retrouver les restes de Carlos au cimetière parisien de Bagneux. Elle n'osa pas aller se renseigner auprès du gardien qui, en casquette réglementaire et cache-nez, lisait le journal, à l'abri du froid dans un petit édifice à droite de l'entrée.

– Cassons-nous.

Elles partirent vite, et coururent sans s'arrêter, du croisement de l'avenue Jean-Jaurès avec l'avenue Marx-Dormoy, jusqu'à la station Châtillon-Montrouge, chaude et animée, paradis retrouvé du monde des vivants.

Robert habitait à proximité, dans un pavillon de pierres meulières qu'il avait en horreur. Il n'y restait que pour dormir et manger, et, le mercredi après-midi, pendant que Ramon et Damien prenaient leur leçon de judo, Robert, qui n'aimait pas le sport, se promenait dans Paris en attendant de les rejoindre.

– Qu'est-ce que vous foutez ici ?

Les deux jeunes filles lui souriaient bêtement. Assises l'une contre l'autre sur un banc du métro, installées sur ce quai, comme pour y passer le reste du jour, elles se parlaient à l'oreille, détaillaient les voyageurs, gloussaient et ricanaient, tout en gobant, l'un à la suite de l'autre, des bonbons vermillon recouverts de sucre cristallisé.

– On a été au cimetière.

Robert haussa les épaules, incrédule.

– Par ce temps ? Vous êtes malades. Je vais à Paris, accompagnez-moi, ça vous réchauffera et ça vous changera les idées.

Les arbres des Champs-Élysées décorés de centaines de milliers de petites ampoules blanches à l'approche de Noël, l'immense hall néoclassique, les balustres, les colonnes et la verrière monumentale du nouveau magasin consacré à la musique enthousiasmèrent les jeunes filles. Robert fit le guide. Il venait ici plusieurs fois par semaine pour se tenir au courant et acheter les nouveautés du blues et de la soul, dont il discuterait les mérites à l'infini, samedi soir, avec Ramon et Damien. Contrairement à ses amis, Robert disposait d'une quantité confortable d'argent de poche de provenance douteuse.

Carmen et Géraldine le suivirent sagement à travers les rayons, examinant discrètement les garçons en casquette, visière sur la nuque, et les filles en minijupe, collants et grosses chaussettes retournées sur des bottines à bouts ronds, jaunes ou vertes. Elles s'enhardirent à fouiller dans les bacs, écoutèrent les derniers morceaux, et finirent par s'asseoir à la cafétéria, où Carmen sirota un verre de Coca, boisson interdite rue du Regard pour cause d'idéologie. Bien mieux à leur place dans ce temple de la musique que dans les allées d'un cimetière, la visite les enchanta, et Carmen ne pensa plus à son père de tout l'après-midi. Là où était Robert, Carmen se trouvait bien.

Trois années, la mort d'un père et un monde qui changeait à toute vitesse suffirent amplement pour faire passer Carmen de l'état d'enfant à celui d'adulte.

Le deuil et la gêne la condamnèrent à une adolescence tranquille et morne, éclairée par les apparitions lumineuses et bruyantes des garçons, et par son amitié avec Géraldine, qui écoutait avec une patience angélique et résignée les projets échafaudés par son amie pour en finir avec cette existence étroite et médiocre.

Comme elle disposait de peu d'argent de poche, elle portait longtemps les mêmes habits, fréquentait assidûment la cinémathèque où le prix du ticket d'entrée était abordable, partageait ses vacances entre Toulouse, Le Touquet et les quelques stages de voile que Jocelyne pouvait lui offrir. Pour les livres, elle les empruntait à la bibliothèque du quartier, à un pâté de maisons de la rue du Regard. Le passage au lycée ne changea rien à sa vie.

Les tsars en moins, Tchernobyl en plus, la sainte Russie était de retour et bientôt les jeunes générations ignoreraient jusqu'au sens de l'expression « rideau de fer ». Jocelyne tempêtait contre la guerre du Golfe et murmurait entre ses dents que les horreurs des guerres yougoslaves auraient été impensables au temps de l'Union soviétique.

En août 1993, Carmen fêta ses dix-huit ans.

La porte cochère du 23 rue de Condé, laquée de bleu, s'orne d'un splendide marteau en fonte de fer du XVIIe siècle. André Jaquillart habite à cette adresse depuis trente-cinq ans. Son logement se compose au rez-de-chaussée d'un bureau, d'une cuisine et d'une salle de bains, et, au sous-sol, d'une cave voûtée et classée, dans laquelle il a fait sa chambre. L'essentiel de son argent et de son temps libre est consacré à sa collection, constituée de tous les ouvrages existants sur l'histoire du théâtre et de l'art dramatique. Comme Louis Jouvet, il peut dire : « J'ai lu tout ce qui concerne le théâtre. » Mieux que le plus sophistiqué des systèmes d'isolation, ses milliers de livres capitonnent les murs de son appartement, y compris ceux de la cuisine, de l'escalier à vis et de la cave. Les livres sont par terre, sur les tables, les chaises, les fauteuils et les marches. Pas un bruit du dehors ne parvient dans ces lieux, cocon pour homme seul, obscur, poussiéreux et douillet.

La lumière du matin n'existe pas pour le régisseur de l'Odéon, qui se lève à onze heures, se rend en cinq minutes au théâtre par la petite rue Crébillon et rentre rarement chez lui avant une heure du matin. Le lundi, jour de relâche, il dort. Dans six ans il sera à la retraite et, dit-il, quittera le quartier, devenu infréquentable, pour aller porter le théâtre dans les campagnes.

Ami plus qu'amoureux, il préfère la compagnie des hommes à celle des femmes avec lesquelles il vit des aventures hygiéniques, brèves et sans conséquence. Jocelyne et ses enfants lui servent de famille.

Le 17 juin 1993, 23 rue de Condé, à neuf heures du matin, Carmen doit s'y reprendre à plusieurs fois avant que le bruit de la sonnette ne réveille André.

Menue, délicate, Carmen se tient très droite pour faire oublier sa petite taille. Soucieuse de cultiver son air espagnol et sa ressemblance avec les danseuses au tambourin de Goya, elle tresse ses cheveux noirs en une natte épaisse, qu'elle ramène sur le côté de son cou, qu'elle a long et mince. Le froid de ses yeux magnifiques s'étirant vers les tempes et sa lippe à la Marie-Antoinette tiennent les garçons à distance. Les observateurs attentifs notent ses ongles excessivement courts, et, souvent, la main gauche posée sur la bouche entrouverte, incisives mordillant l'index. Pour le reste, tout est sous contrôle, Carmen est une très jolie fille.

Première au concours général d'anglais et d'espagnol, contrairement au souhait de sa mère, elle ne préparera pas le concours d'entrée de l'École normale supérieure de la rue d'Ulm, mais celui de l'École des hautes études commerciales de Jouy-en-Josas.

Carmen veut gagner de l'argent.

– Je vais aller étudier à l'étranger, Dédé. Maman n'est pas d'accord, mais comme je suis majeure dans deux mois, je veux y aller quand même.

« Si j'ai un *bachelor degree* d'*industrial management* d'une université étrangère, j'obtiendrai une bourse d'excellence, j'entrerai directement en deuxième année d'HEC et je serai logée sur place. Il existe à Édimbourg un cursus qui me convient parfaitement. Malheureusement, entre le voyage, le loyer, les frais de scolarité et la nourriture, je n'ai pas de quoi payer. Prête-moi des sous, Dédé... Et puis j'ai autre chose à te demander.

Le boniment préparé à l'avance est lâché d'un trait.

Le vieux peignoir éponge rouge virant au rose, effiloché aux manches et d'une propreté relative, ne flatte pas les cinquante ans révolus d'André Jaquillart.

– Attends, Carmen, *bachelor degree*, *industrial management*, de quoi me parles-tu ? Si tu permets, je me fais un café et je t'en offre un par la même occasion.

Sans ôter sa veste, Carmen s'installe sur le tabouret de la cuisine.

– Papa et son théâtre, maman et son parti. Ils ont tout raté. Je ne veux pas de leur vie Dédé, je n'en veux pas. S'il y avait eu de l'argent à la maison, papa serait encore là.

– Crois-tu ? Les choses ne sont pas si simples Carmen, tu es jeune, tu juges, tu ne sais rien.

André Jaquillart est un moine du théâtre. C'est l'amour de cet art, plutôt que celui du prolétariat, qui l'a poussé dans les années soixante-dix à prendre sa carte du parti communiste. « À cette époque, le PCF a été au théâtre contemporain ce que les épiciers arabes ont été au petit commerce », répète-t-il souvent, citant Antoine Vitez, son maître. Contrairement à Jocelyne, André n'est ni un pur ni un fanatique. Son indulgence et sa sympathie vont aux élus de tous bords, dès l'instant où ceux-ci consacrent un peu de leur budget au théâtre. C'est un artiste, un opportuniste. Les idées de Carmen ne le choquent pas, pour un peu il les partagerait. Mais par principe, en ami loyal, il défend Jocelyne, son courage, sa fermeté, son idéal.

Carmen n'écoute pas, son opinion était faite. Si l'appartement avait été plus grand, si Jocelyne avait pris soin d'elle-même au lieu de s'occuper sans cesse des autres, si elle ne s'était pas usée à la crèche et dévouée comme une malade à son parti, parce que, butée et chimérique, elle croyait à un monde meilleur, si son père avait eu un travail, un vrai, Carlos serait vivant.

André reprend une tasse de café.

– Et l'autre chose que tu veux me demander, on peut savoir de quoi il s'agit ?

– Couche avec moi Dédé.

Le régisseur du théâtre de l'Odéon pense avoir mal entendu.

– Couche avec moi, Dédé.

Pour avoir beaucoup côtoyé son frère et ses amis, pour les avoir observés et épiés, pour avoir beaucoup tendu l'oreille, Carmen connaissait les mots des garçons quand ils parlent des filles, comparaisons, évaluations, notes et paris.

Ingénues et sottes, confondant amour et désir, beaucoup de ses semblables se donnaient au premier venu dans l'illusion de se faire aimer. Elles en étaient pour leurs frais. Ainsi, en dépit des avertissements de Carmen, Géraldine pleurait encore un certain Jérôme qui, atrocement ivre, l'avait dépucelée sur une table de billard, au cours d'une fête organisée par des inconnus, six mois auparavant.

Carmen éviterait ces pièges grossiers.

Pour autant elle ne partirait pas vierge à l'étranger. Elle se sentirait moins vulnérable, mieux apte à affronter le monde, quand elle aurait sauté le pas. Son corps lui appartenait, elle maîtriserait le processus de bout en bout, et, ayant bien réfléchi, elle avait conclu qu'avec Dédé, ne risquant pas de tomber amoureuse, les dégâts seraient limités.

– Tu me fais peur Carmen.

Sa veste soigneusement déposée sur le dossier d'une chaise, la jeune fille se déshabille dans la petite cuisine, laisse ses vêtements à terre, descend l'escalier en courant et se couche dans le lit défait du meilleur ami de son père, frissonnante, car la vaste cave reste fraîche même en été.

Le corps brun, potelé et parfait de la jeune fille, pareil à celui des petites déesses sculptées aux frontons des temples indiens, redonnerait de la vigueur au plus amorphe des hétérosexuels. L'effet attendu se produit.

Mal réveillé, désarçonné par cette froide requête, André hésite un peu pour la forme, et puis, parce que la jeunesse possède pour les gens d'âge mûr un irrésistible attrait, tout en pensant vaguement que les mœurs ont bien changé, l'homme vieillissant se couche près de la petite.

La chose faite sans trop de douleur, sans beaucoup de plaisir, André se retire et se tourne pour prendre une cigarette sur la table de nuit. Yeux clos, drap remonté au menton, poings fermés posés sur la bouche, Carmen est parcourue de petites secousses qui se succèdent avec rapidité, et qui laissent André indifférent. Il est ailleurs, très loin, en mai 1968, il a vingt-deux ans, Carlos vingt.

En dépit des consignes du parti communiste, ils montaient des barricades dans les rues de Paris, lançaient des cocktails Molotov préparés par des trotskistes en baskets et des jeunes gens en costume cravate, défiaient les CRS à travers tout le cinquième arrondissement. Fuyant les charges de la police, ils passaient les nuits sans dormir, slalomaient entre les carcasses des voitures incendiées, sautaient par-dessus les poubelles pleines d'ordures dont ils emportaient les couvercles pour s'en faire des boucliers, et se faufilaient dans les ruelles sombres et tarabiscotées de la Montagne Sainte-Geneviève. À bout de souffle, ils s'écroulaient sur les marches de l'escalier qui fait le coin de la rue Érasme et de la rue Rataud, au pied du restaurant Chez Marius, ils toussaient, crachaient et pleuraient sous l'effet des gaz lacrymogènes. Malgré ses yeux rouges et son nez tuméfié, la beauté de Carlos resplendissait dans la lumière blanche du réverbère, qu'on aurait dit planté là pour le plaisir des touristes. Ils étaient ensemble, hilares, heureux, ils s'aimaient.

À onze heures vingt-cinq, Carmen quitta la rue de Condé, débarrassée d'un hymen jugé encombrant, un chèque de cinquante mille francs dans son sac, parée pour une vie nouvelle. Il faisait beau. Elle remonta la rue jusqu'au Luxembourg, où elle s'installa sur une chaise, les pieds posés sur le bord du bassin. Les jardins étaient encore tranquilles, elle renversa la tête en arrière pour mieux profiter de la chaleur du soleil, ferma les yeux, et pensa qu'elle aimait le matin bien mieux que le soir. Elle avait un peu mal au ventre.

IV

Édimbourg, le 23 septembre 1993

Géraldine,

Pardonne-moi de ne pas t'avoir écrit plus tôt, mais depuis mon arrivée, entre les inscriptions à la faculté et la recherche d'un appartement, je n'ai pas eu de répit, et j'étais inquiète car, pendant un moment, j'ai bien cru que je ne trouverais jamais de quoi me loger. À cette époque de l'année le marché est saturé de demandes, j'aurais dû me méfier et m'y prendre plus tôt.

Enfin, ça y est, et heureusement, car je ne supportais plus l'auberge de jeunesse, je crois que si j'y étais restée un jour de plus, j'aurais commis un meurtre. Les filles du dortoir étaient bêtes, moches et bruyantes. Tu es décidément la seule de mes semblables que je supporte, et, comme dit maman, je ne suis pas ouverte aux autres, je suis une pimbêche avec une sale mentalité de bourgeoise, trouvée dans une pochette-surprise !

L'appartement est un quatre pièces, situé près d'une prairie, les « Meadows », non loin de la vieille ville, où les gens du coin organisent des pique-niques par n'importe quel temps, pluie, vent, grêle, rien ne les décourage, je crois qu'à force leur peau est naturellement imperméable ! Je le partage avec une Anglaise, étudiante en physique, et une Néo-Zélandaise, qui fait de l'histoire comme toi. A priori, elles ne sont pas désagréables, évidemment il faut voir à l'usage.

Quand je serai bien installée et que je connaîtrai exactement mon emploi du temps à la fac, je chercherai un petit travail pour gagner un peu d'argent, car le loyer est cher. Il paraît qu'ici on trouve facilement des emplois de serveuse à temps partiel. De cette façon je m'intégrerai davantage à la vie locale, car apparemment la faculté est bourrée d'étrangers, et puis je n'aurai pas le temps d'avoir le cafard, car pour te dire la vérité, tu me manques.

Pourtant, cette ville m'a séduite d'emblée. Elle monte et elle descend, elle est belle, vivante et tonique, et, quoique pas très étendue, elle n'a rien d'une ville de province, c'est une vraie capitale. Du château fort qui la domine, on voit la mer, dont on sent partout la proximité et puis les Écossais sont hospitaliers et serviables, à se demander comment j'ai fait pour supporter dix-huit ans la mauvaise humeur chronique des Parisiens.

Figure-toi que je mange des saucisses de mouton, des tomates et du porridge au petit déjeuner, ce qui me permet de faire des économies, en réduisant les autres repas au minimum.

Voilà, ma copine, je suis là où j'ai voulu être, à l'étranger, loin de chez moi. Ici, vois-tu, je ne suis la fille de personne, personne ne me connaît, c'est reposant. De toute façon, l'appartement de la rue du Regard est trop petit pour trois adultes, maman et Ramon seront bien mieux sans moi.

Je vais me faire la vie que je veux, comme je l'ai décidé, mais je ne te cache pas que, parfois, c'est dur, il m'arrive de me sentir très seule et abandonnée, mais, au moins, c'est moi qui l'aurai voulu.

Et toi, comment vas-tu ? J'espère que tu ne penses plus à ce garçon désagréable. Sois plus raisonnable à l'avenir. Tu es comme Damien, tu t'amouraches de n'importe qui, et après tu es malheureuse. C'est idiot.

Écris-moi. J'espère que tu pourras venir me voir comme tu me l'as promis, je jure de te trouver un Écossais beau, gentil, et surtout, très riche... !

Je t'embrasse.

Carmen

P.-S. : Envoie-moi une photo de toi, bonne de préférence, car je m'aperçois que j'ai oublié d'en prendre.

En septembre 1993, la fête de l'Humanité se déroula sans Carmen Diaz. Malgré la déroute inouïe des « forces de gauche » aux dernières élections législatives, la fête connut son succès habituel, chansons, débats, andouillettes, merguez et muscadet.

Carmen était assidue aux cours, passait beaucoup de temps à la bibliothèque, et avait trouvé un travail quatre soirs par semaine, dans un pub, à quelques mètres du Grand Hôtel Caledonian.

Elle apprit à tirer des pintes de bière sans laisser déborder la mousse, à confectionner en quelques secondes d'épais sandwiches de pain de mie blanc et mou imbibés de sauce cocktail, et à se frayer un passage entre la foule des clients, un lourd plateau posé sur une main. Le gros rire des hommes, la camaraderie joyeuse des femmes qui arrivaient par groupes de quatre ou cinq, attifées de la manière la plus invraisemblable, la réjouissaient et l'aidaient à supporter la fatigue qui la gagnait vers vingt-deux heures.

Les samedis soir, quand elle ne travaillait pas, elle allait dans des boîtes en compagnie de ses camarades de faculté, dansait, buvait modérément, blaguait avec les autres, et s'en allait seule un peu avant onze heures, sans se faire remarquer. Sur le chemin du retour, des groupes de jeunes ivres et inoffensifs lui proposaient de se joindre à eux, elle refusait en souriant et marchait vite, tête baissée, mains dans les poches, pour se protéger du vent froid qui souffle sans relâche sur le Royal Mile du mois d'octobre au mois de mai. La silhouette massive du château, ses grosses murailles et ses tours éclairées par des projecteurs puissants, lui apportaient le calme et la tranquillité. Marie Stuart veillait sur la petite Française. Une bouillotte et un chocolat chaud pour se réchauffer, des tampons d'ouate enfoncés dans les oreilles afin de ne pas être dérangée par ses colocataires qui rentreraient bien plus tard, soûles et accompagnées par des garçons de passage qu'elles ne reverraient jamais, Carmen sombrait dans un sommeil dont elle ne sortirait que le lendemain, vers midi.

Une petite photo d'identité de Carlos était rangée dans son portefeuille, avec, cornée et pliée en deux, la carte postale du Vieux-Port de Marseille au coucher du soleil que son père lui avait envoyée la veille de son accident. Le dimanche en fin d'après-midi, elle téléphonait brièvement à Jocelyne, car les communications étaient coûteuses. Parfois, c'était Ramon qui répondait et qui lui donnait des nouvelles de Paris.

Il faisait traîner sans conviction une maîtrise de sociologie, et tenait la caisse à mi-temps chez Gibert Jeune, rayon papeterie, au coin du boulevard Saint-Michel et de la rue Racine. Damien poursuivait ses études de médecine avec sérieux et conviction, dans l'idée d'être un jour utile à son prochain ; quant à Robert, il s'était pris d'un goût surprenant pour le droit, discipline indispensable, affirmait-il, quand on se destinait comme lui à une carrière d'escroc international. Sans donner l'impression de travailler, il passait brillamment les épreuves. L'esprit juridique, la justesse, la précision des termes, la voix ferme et bien placée de cet étudiant mal habillé qui lisait *Paris-Turf* en attendant son tour impressionnaient les examinateurs.

Tous les soirs, aux alentours de dix-neuf heures, les garçons se retrouvaient au Petit Luxembourg, où le frisbee avait remplacé le football. Ils dînaient ensemble de pâtes ou de pizzas, puis roulaient des joints tout en regardant des vidéos de *La Guerre des étoiles* ou de *Robin des Bois*, version italienne, dans la chambre louée par Robert à Brigitte Boyerdrey, au sixième étage de la rue Auguste-Comte.

Ramon plaisait aux filles, Robert leur faisait peur, et Damien croyait au grand amour. Pour cette raison, il était abonné aux peines de cœur, ce qui, à force, lassait Ramon et Robert, contraints de le consoler et de le réconforter plusieurs fois par trimestre.

« Nous serons à Édimbourg le 19 au matin, nous comptons sur toi pour nous héberger. »

Dans quelques jours la finale du tournoi des Cinq Nations allait opposer l'Écosse à la France, dont les journaux spécialisés annonçaient la probable victoire. Une occasion pareille ne se rate pas. Les places furent obtenues par le père de Damien, Robert prêta à Ramon l'argent du voyage, sans espoir d'être remboursé, et l'annonce de leur arrivée rétablit brutalement Carmen dans son statut de petite sœur soumise, toujours prête à rendre service.

La nuit qui précéda l'arrivée des garçons fut mauvaise. Carmen rêva de Carlos, ce qui ne lui arrivait jamais.

Carlos est vêtu d'une chemise en tergal et d'un gilet en laine tricoté main, pareils à ceux de Robert, il porte de grosses lunettes noires par-dessus les bandages qui enserrent ses oreilles et son crâne, il est pâle, mal rasé. Le père et la fille se tiennent de part et d'autre du carrefour Saint-Placide. Les feux clignotent à l'orange et le flot continu et rapide des voitures les empêche de se rejoindre. Ils se font de grands signes avec les bras et Carlos crie en direction de Carmen des mots qu'elle ne comprend pas. Son père semble lui fixer un rendez-vous pour plus tard, plus loin, mais elle n'en est pas certaine, il lui fait au revoir de la main, puis s'éloigne parmi les passants et remonte la rue vers la tour Montparnasse. Carmen demeure sans bouger, jusqu'à ce qu'il disparaisse tout à fait.

Quand ils sonnèrent à la porte, elle retrouva le trio dans l'état même où elle l'avait quitté : monstre à trois têtes, six bras et six jambes, mal peigné, rigolard et bruyant, Damien et Ramon devant, Robert un pas derrière.

Embrassades rapides, présentation aux colocataires en pyjama, encore mal remises des excès du vendredi soir, bols de café soluble bus debout dans la cuisine, et prêt d'une clé de l'appartement avec recommandation de ne pas la perdre. Les retrouvailles ne traînèrent pas. Les garçons, excités comme des gosses au premier jour des vacances, comptaient profiter à fond des quelques heures qui restaient avant le match pour se promener dans la ville, se mêler à la foule des supporters et parier quelques livres. Carmen les avertit que les pubs n'ouvraient pas avant la fin de l'après-midi, elle ne les revit pas de la journée.

La victoire remportée sur les Écossais, vingt contre douze, lors de la demi-finale du tournoi des Cinq Nations du 19 mars 1994, fut fêtée et arrosée à l'excès par les Français, venus nombreux soutenir leur équipe à Murrayfield.

Puants, tachés, contents, les garçons rentrèrent à deux heures du matin. Ils avaient bu des bières avant et pendant le match, des whiskys pour fêter la victoire et mangé des *haggis* bien gras pour se remettre de leurs émotions. Arborant de grotesques coiffures en papier crépon tricolore, ils investirent le séjour en criant « Vive Lacroix ! » le héros du jour, qui avait marqué deux essais, dont un à la cinquième minute. Puis, soudainement, Damien prit Ramon par les épaules, le regarda dans les yeux et lui dit :

– Ramon, mon petit Ramon, que vas-tu faire de ta vie ?

Sur quoi Ramon se mit à sangloter. Damien, articulant avec difficulté, et mêlant à son discours des mots anglais par courtoisie pour la puissance accueillante, suggéra à son ami de se tourner vers Dieu, provoquant un énorme rire chez Robert, qui lui conseilla d'aller plutôt aux putes. Damien et Ramon esquissèrent une lutte, et Robert, accablé par leur sottise, se réfugia dans la chambre de Carmen, que le bruit empêchait de dormir.

– Ils me fatiguent. C'est chaque fois la même chose, ils ne savent pas boire, et ton frère finit toujours en larmes, ce qui est insupportable.

Il s'assit par terre, adossé au lit. Son état d'ivresse, imperceptible à ceux qui ne le connaissaient pas, se traduisait par un blanc de l'œil caillé, une pupille agrandie et fixe, un teint mastic tirant sur le vert, et un débit d'une lenteur majestueuse. Impassible, impérial, il s'endormit. Le haut de son corps bascula en avant, pivota sur la gauche, menton appuyé sur le torse, façon Christ en Croix, dans une contorsion bizarre et inconfortable. Carmen entreprit d'allonger le dormeur sur la moquette dans une position plus propice au sommeil.

Étalé au pied de son lit, Robert paraissait plus grand, plus massif, plus vilain aussi avec ses cheveux ternes et raides, et sa bouche entrouverte et déformée d'où coulait un filet de salive. Les chemises en tergal avaient été remplacées par des polos anthracite tout aussi inélégants et démodés, qu'il boutonnait jusque sous la glotte, malgré les protestations véhémentes de Damien et de Ramon.

Carmen n'avait touché personne, et personne ne l'avait touchée depuis son dépucelage.

Son plan de vie et de carrière prenait corps, le marathon des études supérieures avait commencé, elle s'y consacrait entièrement. Dans deux ans elle intégrerait HEC, dans cinq ans elle travaillerait, et tant pis pour les accès de cafard qui l'assaillaient parfois vers les six heures du soir lorsqu'elle n'allait pas au pub. Elle les combattait avec des biscuits Finger de la marque Cadbury, avalés par boîtes entières, en regardant sur BBC 1 des séries policière consternantes.

Elle s'initiait à la finance et à l'économie mondiale.

Le produit intérieur brut en valeur, en volume et par habitant des pays industrialisés, le cours des matières premières, le nom des fondés de pouvoir des grandes banques d'affaires, les fusions, les OPA, amicales ou hostiles, constituaient son ordinaire. Désormais les gesticulations et les cris poussés par les hommes en gilet et bras de chemise, autour des corbeilles de grandes places financières ne lui apparaissaient plus comme des accès de démence et de transe collective, le *Financial Times* et le *Washington Post* étaient ses lectures favorites. Elle avait peu de temps pour penser à l'amour.

À la veille du printemps, il fait encore très froid en Écosse. Carmen mit un tricot et des chaussettes, puis s'allongea par terre, à côté de Robert, et, en la tirant délicatement de dessus le lit, fit glisser la couette sur eux. Dans le séjour, les bruits de lutte avaient cessé, sans vainqueur ni vaincu, la fatigue l'avait emporté, laissant les fêtards endormis à même la moquette.

Yeux ouverts dans le noir, Carmen se colle contre Robert, dans sa chaleur d'homme et son odeur de garçon. Elle songe qu'il n'est pas l'homme qu'il lui faut. Pour arriver dans le monde à la position qu'elle désire, elle doit viser beaucoup plus haut que le fils unique d'un pépiniériste de Montrouge, si à l'aise soit-il. De plus, c'est ce qui la console, Robert est une bête sauvage, un chat qui s'en va tout seul, inapte à faire un bon mari.

Vers l'aube, grognant dans son sommeil, en proie à l'érection mécanique et neutre du matin, sans savoir au juste qui était la femme allongée à ses côtés, Robert se tourna vers Carmen et tenta de l'enlacer avec la délicatesse d'un ours brun. Mais on n'était pas au cinéma, Carmen n'avait que faire d'une étreinte bâclée, anonyme, et, par-dessus le marché, sans préservatif. Repoussant énergiquement le jeune homme, elle se leva, l'enjamba et quitta la chambre.

La perspective des années à venir et du chemin qui restait à faire, la dureté du sol et les ronflements de Robert l'avaient empêchée de dormir, elle avait mal au dos, mal à la tête, et une seule envie : boire un thé.

Réveillé par des douleurs à l'estomac dues au mélange de la bière, du whisky et de la panse de mouton farcie, Ramon se trouvait déjà dans la cuisine, assis devant un bol de café, avec une mine épouvantable.

Un petit baiser sur une joue qui pique, une main sur l'épaule, un vague bonjour, le frère et la sœur étaient si faits l'un à l'autre, si habitués à partager l'existence et à se mouvoir ensemble dans des espaces exigus que les gestes, les silences, et les mots sommaires de la vie commune reprirent instantanément du service.

Carmen méprisait l'immaturité de Ramon, elle déplorait son manque d'ambition, raillait son penchant pour la rêverie, les discussions inutiles et les plans chimériques, mais personne n'était aussi intimement lié à sa vie que ce frère imparfait.

– Ça va maman ?

Ramon rapportait la moitié de son salaire rue du Regard, où le réfrigérateur était plein, le ménage fait, le linge lavé et repassé. Il prenait le petit déjeuner avec sa mère, ne s'inquiétant ni de sa santé, ni de son humeur.

– Oui, je crois que oui, mais tu la connais, elle ne parle pas beaucoup et en plus elle ne se plaint jamais. Apparemment le départ de Georges Marchais l'a contrariée. Moins que celui de Krazucki, qui lui a franchement fait de la peine.

Dans la petite cuisine du 6 Lauriston Garden's, les noms des vieux apparatchiks français évoquèrent à Carmen des personnages de méchants dans les bandes dessinées, plutôt que des héros de la classe ouvrière. La place du Colonel-Fabien, l'orgueilleux bâtiment de Niemeyer, faisait partie d'un monde ancien et irréel, aussi lointain que ce mois de janvier 1980 où, accompagnés des grands-parents Bergeron qui n'en pouvaient plus de fierté, elle et son frère avaient reçu des mains du premier secrétaire les bonbons du nouvel an destinés aux enfants des familles de militants particulièrement dévoués à la cause.

– Et André, ça va ?

– Oui, je crois. Maman et lui se voient le dimanche au marché.

Le sérieux de la conversation ennuyait Ramon qui préféra chiner sa sœur, plaisir dont il était privé depuis plusieurs mois. Il la taquina sur ses projets, son avenir d'*executive woman*, couverte d'or, et sur la longue liste de riches amants qu'elle aurait à son actif.

– Le rêve de notre mère, pas vrai ma grande ?

– Tu es bête...

Yeux à demi fermés, sourire bêta, Damien fit son entrée. Il s'assit entre le frère et la sœur et, sans demander d'autorisation, but le fond de café transparent et froid qui restait dans le bol de Ramon. Avec une grimace éloquente sur la qualité de la boisson, il annonça que l'avion était à midi, qu'ils devaient être à l'aéroport à dix heures, qu'il y avait un changement à Glasgow, qu'ils ne seraient pas à Paris avant six heures du soir, qu'ils devaient avoir levé le camp dans moins d'une heure, et que, par conséquent, il fallait réveiller Robert.

Les garçons laissèrent derrière eux des lits défaits, l'odeur du tabac froid et une salle de bains pas très nette. « Comme d'habitude, ils se sont montrés égoïstes, sales et mal élevés, mais, tu t'en doutes, j'ai été heureuse de les voir, et j'ai trouvé Robert très en forme. En revanche je me fais du souci pour Ramon, tu devrais t'occuper de lui », écrivit-elle le soir même dans sa lettre hebdomadaire à Géraldine.

– La pêche au saumon est incontestablement une école de patience, déclara Donald Leely, spécimen d'une race d'Écossais grands, châtain clair, yeux bleus qui firent les beaux jours du cinéma hollywoodien dans les années soixante.

Ils étaient installés devant des verres de Guinness, au bar du Grand Hôtel Caledonian, parmi des hommes plus très jeunes et rouges de peau, en kilt, chaussettes à pompons et veste de smoking, qui se donnaient l'accolade et se congratulaient, avant de rejoindre, dans les salons du premier étage, leurs grandes et grosses épouses, qui, en robes longues, multicolores et pailletées, étaient réunies pour fêter le mariage, bien assorti, du fils d'un brasseur avec la fille d'un éleveur de moutons à tête noire.

Donald Leely aimait les brunes. Depuis la rentrée il guettait la Française, arrière-petite-cousine de la duchesse d'Albe de Goya, dont deux reproductions, « habillée » et « nue », étaient accrochées au-dessus de son lit. L'Écossais s'était promis de faire sortir la jeune fille de sa réserve, bien au-delà de ce qu'elle pouvait imaginer. Les refus aimables et fermes qu'elle avait opposés à ses multiples invitations ne l'avaient pas découragé. Confiant, il attendait la touche.

Au lendemain du départ des garçons, Carmen accepta l'invitation.

Aux questions que Donald lui posa sur elle et sa famille, elle répondit par des mensonges. Elle n'avait aucune raison de dire la vérité de sa vie et de ses origines à cet étranger. Elle s'amusa à se donner des origines normandes et bourgeoises, et une famille commerçante en accastillage sur le port de Cherbourg, depuis plusieurs générations. Quand Donald s'étonna de la noirceur de ses cheveux, de ses yeux, et de sa peau mate, Carmen inventa sur-le-champ des invasions espagnoles en Basse-Normandie au XVIᴱ siècle, puis le questionna à son tour. Donald ne mentit pas. Il était originaire de Dunkeld, joli village près de Perth, où ses parents possédaient un grand garage qui vendait et réparait tout le matériel agricole des alentours. Il lui parla de cette région qu'il aimait, et de ses trois passions : les technologies nouvelles, l'Espagne, découverte à seize ans à l'occasion d'un voyage linguistique et la pêche à la mouche, pratiquée par ses ancêtres masculins depuis qu'il y avait des poissons dans les rivières écossaises.

D'amoureux, Carmen n'en avait jamais eu, mais elle avait beaucoup lu, et ne se faisait aucune illusion sur les vues du jeune homme. Dérangée par le bref passage des garçons, attristée par leur départ, elle estima qu'il était temps de s'amuser un peu, d'autant que les histoires d'amour à l'étranger emportent moins de conséquences que sur le sol natal. Sauf imprévu, le terme en est fixé d'avance.

En dépit de sa jeunesse, Donald se montra, chose rare, un amant altruiste, pédagogue et imaginatif, et Carmen, une jeune personne exigeante et douée pour l'amour, chose rare également.

C'est ainsi que, pendant plus d'un an, d'avril 1994 à la fin du mois de juin 1995, Carmen et Donald firent beaucoup l'amour au 6 Lauriston Garden's, à deux pas des Meadows. Ils travaillèrent ensemble à la bibliothèque centrale de l'université et s'initièrent au roller-blade dans la partie basse d'Édimbourg, aux alentours du jardin Botanique. Ce sport qui commençait à se répandre dans les villes ne présentait aucune difficulté pour Carmen, forte de sa vieille expérience du patin sur glace.

Parce que, en furetant dans la chambre de la jeune fille, Donald avait constaté que son courrier venait de Paris, parce que, lorsqu'il en fit la remarque, Carmen lui conseilla de se mêler de ses affaires, parce qu'elle ne se livrait pas, qu'elle était dure et qu'elle aimait le plaisir, Carmen rendit Donald très amoureux, et, sans ses visions, elle-même aurait pu le devenir.

Mais Carmen avait des visions.

Au plus fort de l'action Robert lui apparaissait. Assis sur le rebord de la fenêtre à guillotine, jambe droite en appui sur la cuisse gauche, il fumait et lisait le journal puis, sans se presser, il jetait un regard distrait sur le couple en sueur, l'air de dire « Tu peux coucher avec qui tu veux ma petite, je connais ceux que tu aimes », et il s'en allait.

Furieuse de voir son plaisir lui échapper si près du but, Carmen demandait à son amant de bien vouloir reprendre les opérations à leurs débuts, ce à quoi Donald consentait généralement sans se faire beaucoup prier.

« C'est plus fort que moi, je vis sous leurs yeux, même quand mille kilomètres nous séparent. Sans Ramon et sa bande je pourrais sans doute aimer Donald, qui ne me fait que du bien, mais il y en a toujours un des trois planqué derrière la porte », écrivit Carmen à Géraldine, à quoi Géraldine répondit que c'était bien la peine de partir si loin pour rester sous la coupe de ces demeurés.

Le 6 mai 1994, il plut toute la journée. François Mitterrand, livide, inaugura le tunnel sous la Manche, en compagnie de la reine d'Angleterre, dont l'excellente santé et la bonne mine replète faisaient avec le président de la République française un contraste saisissant.

Donald et Carmen fêtèrent la liaison ferroviaire, express et sous-marine, entre les deux vieux pays avec une bouteille de très bon champagne, achetée par Donald pour la circonstance, si bien que Carmen fut sur le point de dire à Donald qu'elle l'aimait, mais elle se retint à temps. Ce soir-là, pourtant, Robert ne se montra pas.

La programmation du Festival d'Édimbourg de l'été 1994 fut brillante. Après avoir longtemps privilégié des formes artistiques classiques et traditionnelles, le festival était en passe de devenir une manifestation d'avant-garde de premier plan.

Carmen ne rentra pas en France pour les vacances d'été. Grâce à sa bonne connaissance du français, de l'espagnol et de l'anglais, elle se fit embaucher sans difficulté par l'administration du festival. On lui confia l'accueil des compagnies, leur logement, leurs défraiements, l'établissement du planning, la répartition des salles de répétitions, les rencontres, colloques, animations, etc. Elle annonça la nouvelle à sa mère par téléphone, et celle-ci ne protesta pas. Jocelyne ne souffrait pas outre mesure de l'absence de Carmen, Ramon était là et d'autres soucis l'occupaient. Le nouveau secrétaire élu en janvier dernier par le vingt-huitième congrès de son parti, sa barbe de marin breton et son passé de rocker du dimanche ne lui semblaient pas des gages suffisants pour réussir la mission qui lui avait été confiée. Malgré ses lourdes erreurs et son passé douteux, elle regrettait l'aplomb et la poigne de Georges Marchais, dont les cheveux teints et le brushing en biais à la Jean Servais ne l'avaient jamais gênée. Certains soirs cependant, elle aurait aimé, comme autrefois, natter les cheveux de sa petite fille pour la nuit, la prendre dans ses bras, et respirer l'odeur de pain d'épice de ses joues roses, douces et dorées.

L'affiche est immense et splendide, le nom du « Théâtre de la Grande Ourse, compagnie Marianne Eccart », se détache en jaune d'or sur un fond bigarré d'oriflammes, de piques, de lances et de chevaux. Tous les visiteurs la remarquent et la louent.

La dernière création de Marianne Eccart, événement de la saison, est présentée en avant-première à Édimbourg, avec en vedette la nouvelle toquade du metteur en scène, vingt-deux ans, un mètre quatre-vingt-dix, cent kilos. C'est un blond aux yeux bleus, qui fera un Cid Campeador inhabituel, surprenant et prodigieux.

– Bonjour madame Eccart.

– Bonjour.

La voix n'a pas changé, enfantine, assurée, un tantinet nasillarde. Marianne Eccart a une infaillible mémoire des visages, mais le prénom de la fille de Carlos ne lui revient pas.

– Tu ressembles à ton père. C'est toi qui t'occupes de nous ?

Carmen lui tend les documents nécessaires, bons de logements, ticket-restaurant, horaires et disponibilités des salles, plans de la ville et adresses utiles. Elle lui indique en s'y reprenant à deux fois, parce qu'elle a tout à coup la gorge qui se noue, que deux navettes attendent en bas, prêtes à conduire les comédiens à leurs hôtels.

Depuis qu'elle avait pris connaissance du programme du festival, Carmen se préparait à cette rencontre. Elle en avait rêvé maintes fois, imaginant des scènes de vengeance, du genre de celles qu'elle destinait dans le temps aux fillettes qui la maltraitaient. Elle aurait aimé voir cette femme à genoux, en larmes, agonisante et seule, mais Marianne Eccart était en pleine forme, tout à son art et à sa création, tendue vers la première prévue dans trois jours. Carlos Diaz faisait partie du passé, et le passé ne l'intéressait pas.

Le Cid était programmé au Royal Scottisch Theatre, joli bâtiment néoclassique à fronton et colonnes, situé dans la partie géorgienne de la ville nouvelle, et bien entendu, toutes les places avaient été vendues depuis des mois.

Le soir de la première, Carmen vérifiait une dernière fois la liste des invités, avant de la remettre aux hôtesses chargées du contrôle. Dos à la fenêtre ouverte, joue abandonnée sur la main gauche, dans une attitude un peu lasse, la silhouette de la jeune fille se découpait en ombre chinoise sur un ciel de fin août, mi-rose, mi-argent. La besace de Marianne Eccart était posée dans un coin, avec les célèbres carnets de moleskine noire où elle consignait chaque soir les quelques compliments et les critiques nombreuses qu'elle distribuerait le lendemain à ses comédiens.

– J'imagine que tu ne viens pas voir le spectacle.

– Vous imaginez bien, répondit Carmen sans lever la tête.

Marianne était venue récupérer son sac et la liste des invités, soucieuse de tout contrôler. Pendant ces journées, elle n'avait pas porté d'attention particulière à la jeune fille. Exigeante, injuste et affectueuse, elle avait traité Carmen comme elle traitait tout le monde. Ce soir pourtant, seule avec elle dans ce bureau d'habitude encombré, elle fut touchée par la beauté de la fille, si pareille à celle du père, qu'elle avait, un temps, et à sa façon mauvaise, beaucoup aimé.

– Je sais que tu me détestes, ma petite, et je te comprends. Mais, vois-tu, je ne m'inquiète pas pour toi. Tu es une vraie dure, comme ta mère. Tu feras ton chemin. Crois-moi, je ne me trompe jamais.

Le sac à l'épaule, sans la saluer et déjà, en pensée, dans les coulisses du théâtre, Marianne Eccart quitta la pièce de sa démarche balourde et chaloupée, laissant Carmen étrangement comblée par la prophétie de la vieille sorcière.

Le Cid fit un triomphe. Ce fut le dernier des grands succès de Marianne Eccart, dont, bien qu'elle ne s'en doutât pas le moins du monde, le déclin venait de commencer. Carmen Diaz, elle aussi, pouvait jeter des sorts.

Dunkeld, 12 septembre 1994

Géraldine,

J'espère que tu vas bien, et que tu as profité de tes vacances à Toulouse avec ton charmant papa et tes charmants frangins ! Mais comme tu ne m'as pas écrit depuis plus de trois semaines, je ne peux pas le savoir...

En gros le festival s'est bien passé, mais je suis morte, vidée, hors service. Les artistes sont capricieux, égocentriques, déraisonnables et ridicules, chacun pense que sa création est ce qu'il y a de plus important au monde. Tu parles... En plus, franchement, je me serais bien passée de travailler pour Marianne Eccart, mais je n'avais pas le choix...

J'ai bossé comme une malade pendant tout le festival et je t'assure que je mérite plus que ce que j'ai gagné en deux mois, mais je vais pouvoir commencer à rembourser André, et j'en suis bien contente.

Je t'écris de la maison des parents de Donald, où j'ai été invitée à passer un grand week-end pour me reposer. C'est horrible.

Je suis installée dans une chambre sortie d'un bouquin de décoration sur les maisons anglaises. Il y a des petites fleurs partout, des rideaux à volants assortis au dessus-de-lit, à volants également, des coussins, des plaids et des gravures de chasse au renard. Le reste de la maison et du jardin est à l'avenant, colombages, gazon parfait, rosiers couverts de fleurs, vieux arbres et pour finir, deux chiens, un chat, et pas un livre, ou presque.

Les parents de Donald sont charmants, mais si j'ai bien compris, je ne suis pas la première que Donald leur amène, et, forcément, je sens qu'ils font des comparaisons, ce qui me met mal à l'aise. Je reste néanmoins souriante et stoïque.

Le problème, c'est que je ne suis là que depuis un jour et que je m'ennuie déjà mortellement. Il n'y a rien à faire, je n'aime pas la campagne. Du coup j'ai le mal du pays, j'ai envie d'être à Paris, rue du Regard, de retrouver les affiches au mur, les rayonnages et les livres de papa et maman. Je voudrais être assise dans le séjour avec un bon roman, pendant que j'entendrais maman préparer le dîner, et la musique dans la chambre de Ramon. Tout ce chintz, ce confort et cette crème fraîche me donnent envie de vomir.

Je t'embrasse ma copine, et je vais descendre au salon rejoindre les autres pour le dîner, ce qui ne m'enchante pas, il va y avoir des lamb chops, et du pie aux framboises, moi j'ai envie de saucisson, de camembert, et d'un paris-brest plein de crème au beurre. J'en suis à regretter les déjeuners du dimanche chez la grand-mère Bergeron, c'est te dire la gravité de mon état.

En plus ils ne m'ont pas mise dans la même chambre que Donald, tu vois ça d'ici.

Carmen

P.-S. : Si tu te décides à venir me voir, n'oublie pas de prendre un gros tricot et des chaussettes chaudes, car ici nous sommes au nord, et les soirées sont froides.

Le réveil sonna à six heures pour laisser à Carmen le temps de faire une longue toilette et de prendre un petit déjeuner copieux, qui, en plus des habituelles saucisses, comportait des œufs brouillés, une banane et des abricots secs. Carmen devait prendre des forces. Dans moins de trois heures elle allait défendre son exposé sur le cuivre devant une assemblée nombreuse et diversement intentionnée. Ce travail lui avait coûté trois bonnes semaines, quelques nuits et le sacrifice de plusieurs rendez-vous avec Donald, qui n'avait pas caché son dépit. Son classement de fin d'année, et par conséquent, sa bourse et son admission à l'École des hautes études commerciales, dépendraient en partie de la note obtenue.

Trois quarts d'heure pour l'exposé proprement dit, un quart d'heure pour répondre aux questions, Carmen avait un trac abominable. Transpirante et la voix faible, elle cherchait ses mots, et avait tout oublié, son anglais, le résultat de ses recherches, ses arguments, sa démonstration. C'était le vide, le trou. Sa tête, ses oreilles et ses yeux lui faisaient mal, elle avait le vertige et dut s'appuyer des deux mains au rebord de la table pour dominer le tremblement qui s'était emparé d'elle pendant que son directeur d'études prononçait le traditionnel topo d'introduction. Mais les projections, les graphiques et les courbes aidant, le malaise se dissipa. Carmen se reprit et le calme revint, avec la mémoire. Elle ne distinguait personne en particulier, s'adressait à une masse sans visage et sans nom, jetant de brefs regards sur la pendule, attentive à ne pas excéder le temps imparti. La place du métal dans l'économie mondiale, l'évolution de son cours sur les dix dernières années, son rôle dans le bâtiment, l'aérospatiale, les nouvelles technologies, tout y passa.

Les applaudissements durèrent longtemps. Carmen, rendue à elle-même, était pratiquement certaine d'avoir convaincu son public, elle avait bien joué son rôle, bien dit son texte, le spectacle était réussi, le succès garanti. Elle sourit à l'auditoire qui avait retrouvé une apparence humaine, but d'un trait un grand verre d'eau et leva les yeux sur le calendrier accroché à droite du tableau : 5 décembre 1994.

Hier, 4 décembre, Carlos était mort depuis cinq ans et sa fille n'y avait pas pensé.

Son père ne s'intéressait ni au cuivre ni aux matières premières en général, elle le savait. Elle savait aussi que, lui non plus, n'aurait pas été enthousiasmé par la carrière résolument capitaliste et libérale envisagée par sa fille, au rebours des convictions défendues par les siens. Tant pis. Tout en rassemblant soigneusement ses feuilles, et en acceptant les félicitations de ses camarades et de ses maîtres, elle songea qu'il était parfois nécessaire d'oublier les morts.

« Ça n'est pas toujours facile, papa, je t'assure. »

Géraldine vint passer les vacances de Noël. Il restait un peu plus de cinq mois avant la fin de l'année universitaire et Carmen avait renoncé à travailler au pub pour se consacrer entièrement à ses études. Donald était son seul loisir. Quand elle voulait bien quitter Keynes, ses manuels d'économie et la presse financière, elle se consacrait pleinement à son amant, consciente du peu de temps qu'il leur restait pour profiter l'un de l'autre.

Le 17 mai 1995, Jacques Chirac fut élu président de la République française et François Mitterrand qui n'en finissait pas de mourir évoquait avec une égale sérénité sa jeunesse d'Action française, sa francisque, et son passé de résistant. À la fin du mois de juin, deux mois avant de fêter ses vingt ans, Carmen apprit qu'elle était admise à entrer directement en deuxième année d'HEC.

Edinburgh, 15 juin 1995

Ma copine,

C'est la dernière lettre que je t'écris de ma petite table devant la fenêtre, d'où j'aperçois, dans le coin, en haut à droite, un petit bout du château, et cela me fait tout drôle.

Mission accomplie. Je suis contente d'avoir obtenu mon bachelor degree avec les félicitations du jury (d'ailleurs tu as le droit de me féliciter, toi aussi), contente de rentrer en France, et triste de quitter cette ville que j'aime, triste surtout de laisser Donald.

Mais non, non, et non, je ne veux pas l'épouser, tu peux remballer tes arguments, même si certains sont fondés, j'en conviens.

Il est possible que je regrette toute ma vie mon amant écossais, gentil, expert et délicat, espèce introuvable, selon toi, dans la région parisienne, peut-être même sur l'ensemble du territoire français. Mais tu me vois mariée ici, à la tête d'une petite maison et d'un petit jardin, collée à d'autres petites maisons et d'autres petits jardins tous pareils, avec trois mômes après moi, qui ne connaîtraient ni le Luxembourg, ni le Jardin des Plantes, ni l'Aquaboulevard ? Non, ma puce, ça n'est pas moi, tu le sais bien.

Je sais que pour réussir dans la branche que j'ai choisie, je vais devoir me promener beaucoup à travers la planète, mais quand même, je suis de Paris, de la place Saint-Sulpice à la rue Édouard-Pailleron, en passant par la rue du Prévôt. Du reste il paraît que les parents de Robert ont acheté un petit appartement avenue de Flandre, pas très loin de la patinoire, de l'autre côté du canal de l'Ourcq. Tu vois, il n'y a pas de hasard.

À part ça, je te félicite. Tu feras, j'en suis sûre, la meilleure prof d'histoire du monde, et les élèves n'auront qu'à bien se tenir. J'ai une absolue confiance en tes facultés de pédagogue. En revanche ta dernière lettre me confirme dans l'idée que tu es une handicapée sentimentale. En deux ans, tu t'es offert trois chagrins d'amour, c'est indécent, tu me fais penser à Damien, il faut que cela cesse. J'y mettrai bon ordre dès mon retour.

Je te laisse, ma copine, je dois nettoyer l'appartement, car la propriétaire vient tout à l'heure pour faire l'état des lieux.

Demain matin, Donald m'accompagne à l'aéroport, cela va être très dur. Pense à moi vers dix heures. Je t'embrasse.

Carmen

Les jeunes amants passèrent leur dernière nuit sans beaucoup se parler. Donald porta les valises de Carmen jusqu'à l'enregistrement, et une dernière fois lui demanda de l'épouser. Elle l'embrassa sans répondre, et partit très vite. Carmen n'aimait pas qu'on la voie pleurer.

V

Les affiches et les banderoles repliées gênaient pour fermer la porte de la cuisine, le seau de colle en plastique orange et la brosse en chiendent étaient à leur place, sous l'évier, calés entre la poubelle et le baril de lessive. Unique nouveauté, Jocelyne rangeait désormais sa bicyclette dans le couloir, car elle avait décidé de se déplacer à vélo, dans un souci de civisme et de bonne santé.

À son retour d'Écosse, Carmen trouva l'appartement de la rue du Regard plus petit et plus sombre qu'elle ne l'imaginait. Elle y passa une semaine pénible et silencieuse en tête à tête avec sa mère, avant de partir rejoindre les garçons au Touquet, dans la vaste villa de style anglo-normand dont Brigitte Boyerdrey avait hérité, avec l'appartement de la rue Auguste-Comte et le chalet de Méribel. L'air du Touquet, assez semblable à celui d'Édimbourg, lui ferait du bien.

En vacances depuis quinze jours, après des examens de fin d'année passés sans difficulté par Damien et Robert, de justesse par Ramon, les garçons se couchaient tard, se levaient aux alentours de midi, et se baignaient dans l'eau froide de la mer du Nord que le temps fût beau ou mauvais. À marée haute, Damien et Ramon faisaient de la planche à voile, pendant que Robert rôdait autour du club équestre, se promenait parmi les boxes et s'installait dans le manège pour assister aux séances de dressage. Il buvait des cafés au bar du Westminster et des demis de Warsteiner au Sportif, rue Saint-Jean, où les garçons le saluaient déjà comme un vieil habitué. Il lisait

L'Équipe, *Les Échos* et *La Voix du Nord*, puis, longeant le front de mer, se rendait au pied de la dune, à gauche des thermes marins, d'où il guettait le retour des deux autres, allongé sur le sable, un Code civil déformant la poche d'une veste de ville qu'il ne songeait pas à échanger contre un vêtement plus approprié au bord de mer.

Il faisait encore beau et chaud en fin d'après-midi, quand Carmen avait été le rejoindre sur la plage.

– Le vent est tombé, ils vont bientôt rentrer.

Robert était assis, genoux repliés entre les bras, menton aux rotules, pensif, avec la ride au front et les yeux tristes d'un chimpanzé au repos.

Carmen s'installa à côté de lui, tout près, son épaule touchant la sienne. Fraternels, confortables, proches autant que peut l'être un gars d'une fille. Ils aimaient à causer ensemble. Ils parlaient de leurs vies, de leurs idées, de leurs ambitions, de leur avenir et de celui du monde.

Selon un rituel bien au point, la conversation se déroulait en deux temps inégaux. En ouverture, Robert énonçait quelques banalités sur le temps ou l'actualité hippique, toutes choses sans intérêt aux yeux de Carmen, qui, après une courte pause, lançait le sujet du jour.

– Finalement, tu sais ce que tu veux faire ?

– Avocat d'affaires. Je l'ai dit la semaine dernière à mon père, qui, évidemment, a essayé de me frapper.

Le père Blanchart n'aimait que son exploitation, ses serres, ses herbes aromatiques et ses outils. Que son fils ne reprenne pas l'affaire était inacceptable. Cet homme brutal et sanguin n'admettait pas qu'on lui résiste. Depuis toujours, il tapait Robert, pour une mauvaise note, un bol renversé, un larcin, une insolence. Des vrais coups qui faisaient mal.

Cette fois, Fernand Blanchart ne recommencerait plus. Son fils était désormais le plus fort des deux. Il avait jeté le vieil homme à terre en quelques secondes, avec une lèvre fendue et le nez en sang. Fernand Blanchart, assis sur le carreau de la cuisine, ébahi, incrédule, avait regardé Robert, des larmes plein ses yeux jaunes et pâles, décolorés à force de pastis et de Martini.

– Tu n'imagines pas le plaisir que ça m'a fait.

– J'imagine très bien au contraire. Et ta mère qu'est-ce qu'elle en dit ?

– Rien. Elle ne dit jamais rien, elle fait les comptes, et elle écoute Charles Aznavour en boucle.

Le soleil était moins chaud, la lumière moins vive, les mères ramassaient les serviettes de bain bariolées, les pelles, les bouées et les râteaux, elles appelaient les enfants qui ne voulaient pas rentrer, tandis que les pères couraient après les chiens qui, eux non plus, ne voulaient pas rentrer.

Robert regardait avec passion les cavaliers qui se promenaient par deux au bord de l'eau, en direction de Berck que l'on distinguait vaguement, très loin, à l'extrémité de l'immense plage. Il commentait à haute voix et pour lui tout seul les qualités et les défauts de ces chevaux qu'il aimait et qui lui faisaient perdre ou gagner de l'argent, sans qu'il ait jamais songé à les monter.

Le soir vint, calme, paisible. Carmen jouissait de la lumière dorée et douce, de l'air vif, de la présence rugueuse et rassurante de Robert, de leur parlotte, et de la finesse du sable blanc qu'elle faisait couler d'une main dans l'autre. Pourtant, tandis qu'elle observait, en contre-jour, un oiseau qui, très haut dans le ciel, exécutait une danse compliquée avant de piquer sur la petite proie repérée au fond de l'eau, l'exact revers de ce qui arrivait à Édimbourg se produisit.

Donald était là.

Debout, à quelques pas, en maillot de bain, les cheveux décoiffés, les yeux brillants dans le visage bronzé, il venait à elle, vigoureux et beau, souriant et tendre.

– J'avais un ami en Écosse.

– Je m'en doute.

– Comment cela, tu t'en doutes ?

– Parce que ça se voit, ma petite, une femme amoureuse, ça se voit.

– Il me manque. On s'entendait bien et on ne parlait pas beaucoup.

– Il aimait mieux baiser, constata Robert.

Tout mouillés, la planche à l'épaule, Ramon et Damien remontaient vers eux en courant, épuisés et contents. Afin de se reposer un moment avant de rentrer à la maison, ils s'étendirent à côté de Robert, les yeux fermés, la poitrine soulevée par une respiration qui, de forte et saccadée, se calmait peu à peu. Ils avaient encore la dégaine gracieuse, enfantine et maladroite des très jeunes hommes. Debout au-dessus d'eux, Carmen les contempla, Robert le singulier, Damien le gentil, et Ramon, son frangin.

Donald avait disparu.

La robe de chambre en foulard de soie parme doublée d'un fin cachemire safran était somptueuse. Sur un homme plus jeune et moins couperosé, elle eût été d'un bel effet, sur Jean Boyerdrey, elle était ridicule. Ce vêtement affecté comptait au nombre des tenues qu'il collectionnait dans le but de faire croire aux autres, et à lui-même, qu'il descendait d'une lignée aristocratique, britannique de préférence, ce qui n'était pas le cas. Ses parents, originaires d'une petite ville des Ardennes, y avaient tenu toute leur vie une quincaillerie, La Cloche de Vouziers, réputée dans la région pour la qualité et la diversité de ses clous et de ses outils.

– Alors, tu l'as obtenue cette bourse ?

– Oui, je l'ai eue, j'ai une chambre sur le campus et, fin septembre, j'entre en deuxième année. C'est ce que je voulais.

Le large bow-window de la salle à manger donnait à droite sur l'embouchure de la Canche, à gauche, sur le large et sur un ciel ardoise et sans limites, traversé par des mouettes innombrables, gueulardes et tout à leurs affaires. La maisonnée dormait, Carmen et Jean Boyerdrey étaient seuls à prendre le petit déjeuner, préparé par Mme Chalmain, dont le service commençait à huit heures et demie.

Les époux Boyerdrey n'ignoraient pas leurs infidélités réciproques, acceptées sous certaines conditions : la discrétion d'abord, le respect des conventions et des apparences, le choix des partenaires dans le cercle des proches dont, à charge de revanche, la discrétion serait assurée, et, par-dessus tout, la préservation du patrimoine qu'il aurait été absurde de mettre en danger par de puérils et inutiles divorces.

Le flagrant délit constaté par une petite fille de douze ans était loin et sans conséquence, c'était néanmoins un secret. En tant que tel, il instaurait entre les deux parties un lien solide, d'autant plus solide que l'homme vieillissant et la jeune fille têtue poursuivaient un même but : passer du clan des faibles à celui des puissants.

Jean Boyerdrey avait voulu une existence brillante et parisienne, aussi éloignée que possible des caleçons de flanelle que sa mère l'obligeait à porter en hiver, du pudding « Franco-russe » du samedi soir, du poste de radio allumé en permanence sur Radio Luxembourg dans l'arrière-boutique encombrée, et du catalogue de la Manufacture des armes et cycles de Saint-Étienne, livre de chevet de son père. Quant à Carmen, elle en était sûre, l'argent lui garantirait une vie décente plus sûrement que l'utopie, généreuse en rêve et meurtrière en réalité, dont Jocelyne et les grands-parents Bergeron l'avaient gavée depuis le jour de sa naissance.

Jean Boyerdrey s'était depuis longtemps habitué à la présence des enfants Diaz, qui se trouvaient comme chez eux dans les maisons de son épouse. S'il méprisait la pusillanimité de Ramon, il admirait l'intelligence et la volonté de sa sœur, son opiniâtreté à prendre des routes interdites par les lois de sa tribu. Solidaire d'une ambition qui avait été la sienne, il lui souhaitait de réussir mieux qu'il ne l'avait fait. Auprès de cette petite, son statut de parvenu médiocre, si encombrant d'ordinaire, ne le gênait pas. Avec elle, il était tranquille. Autant qu'elle le jugeait, elle le comprenait, et cela était bien.

Le pain grillé de Mme Chalmain était délicieux et le beurre du Touquet savoureux. Carmen en était à sa troisième tartine quand Jean Boyerdrey déclara :

– Au fond, ton père et moi avions des points communs, nos mariages par exemple.

Carmen leva les sourcils.

– Ah bon ?

– Je veux dire que, indépendamment des fadaises répandues sur l'égalité des sexes, il est préférable que l'argent vienne des hommes, c'est beaucoup plus confortable. Regarde-moi par exemple, j'ai un très gros salaire. N'empêche, le pognon, c'est elle et on me le fait sentir tous les jours.

– Pas Brigitte.

– Pas elle, non, les autres, tous les autres.

La raie impeccable, la robe de chambre à vingt-cinq mille francs, l'intaille romaine portée à l'annulaire au-dessus de l'alliance, l'air ironique et blasé amusaient Carmen sans l'impressionner. En beurrant sa quatrième tartine, elle acquiesça. Le père de Damien était dans le vrai, lui et Carlos avaient deux points communs : la faiblesse et la mélancolie.

– Vous avez vu les garçons ?

Ni maquillée ni coiffée, les sourcils froncés d'inquiétude, Brigitte passa une tête par la porte.

Au deuxième étage, sous les toits, dans la chambre baptisée le « dortoir », deux des trois lits n'avaient pas été défaits, tandis que, couché sur le ventre et tout habillé, Robert dormait lourdement sur le troisième.

La veille, après le dîner, les jeunes gens s'étaient rendus à une fête dans une maison voisine, chez les Faure, marchands de chaussures à Beauvais, que les Boyerdrey n'auraient sûrement pas fréquentés à Paris mais avec lesquels, en revanche, ils entretenaient d'excellents rapports pendant les vacances. La musique était mauvaise et les boissons aussi. Aux alentours de minuit, comme l'habitude en avait été prise depuis le bal des dix-huit ans de Véronique, Robert avait raccompagné

Carmen qui s'ennuyait, laissant, comme d'habitude également, Damien et Ramon, ivres et contents. Puis, Robert avait été au casino, avait joué jusqu'à trois heures, avait perdu, avait bu et s'était couché tout habillé, pris du sommeil comateux qui suivait traditionnellement les soirs de jeux où la chance le fuyait. Questionnés par Brigitte, les enfants Faure déclarèrent que Ramon et Damien s'étaient beaucoup amusés, qu'ils figuraient parmi les derniers invités et qu'ils avaient quitté la fête vers les cinq heures du matin.

Ils attendirent jusqu'à midi avant de s'inquiéter vraiment, dans l'idée que les garçons cuvaient leur vin quelque part et qu'ils réapparaîtraient d'un moment à l'autre, innocents, souriants et affamés. Mais ils ne revenaient pas. Le carré d'agneau préparé par Mme Chalmain resta intact, les haricots verts, le plateau de fromages et la corbeille de fruits également. À deux heures de l'après-midi, on était toujours sans nouvelles.

– Je vais jusqu'à la plage.

Raide d'angoisse, lèvres blanches et mâchoires douloureuses à force d'être serrées, Brigitte se leva de table, suivie par Carmen et Robert. Jean resta près du téléphone.

La cabine était vide, planches et combinaisons avaient disparu, tandis que les vêtements des garçons étaient pendus derrière la porte. Le doute n'était plus possible. La fête finie, saturés de vin et de cannabis, désireux, sans doute, de voir un beau soleil rouge se lever sur la mer du Nord, Damien et Ramon étaient partis faire de la planche, sans avertir personne.

Brigitte remonta en courant vers le front de mer, pour appeler les secours. Elle donna les noms, l'adresse, le numéro de téléphone, elle dit que, depuis toujours, sa famille passait les mois d'été au Touquet, que les garçons n'étaient pas rentrés de la nuit, qu'elle avait téléphoné partout, qu'ils n'étaient nulle part, qu'elle était très inquiète. Elle parlait vite et sans s'arrêter, à court de souffle et le cœur battant à toute allure, jusqu'à ce que le fonctionnaire de police l'interrompe pour lui dire qu'il avait bien compris, que tout était noté, que les recherches allaient commencer et que, maintenant, la seule chose à faire était de rentrer à la maison et d'attendre.

Sur le chemin du retour, Robert se pend des deux mains au bras de Carmen, il se serre contre elle comme un petit enfant terrorisé. La sueur lui coule au front, aux tempes, et aux ailes du nez, il s'arrête à chaque pas, se retourne et jette vers le large des regards pâles et désespérés. Son angoisse est si grande, si palpable, que Carmen en oublierait presque la sienne.

– Ne t'inquiète pas, ils vont revenir, calme-toi Robert, ils vont revenir…

Le temps était au beau depuis plusieurs jours, des familles bruyantes, joyeuses, encombrées d'un matériel considérable et coloré, arrivaient de tous les côtés pour passer l'après-midi au bord de l'eau, sans remarquer le petit groupe silencieux et tendu qui faisait le chemin en sens inverse.

Un hélicoptère survola la baie de Somme durant plusieurs heures et, simultanément, deux canots de sauvetage partirent à la recherche des jeunes gens. On les retrouva loin, dérivant vers l'Angleterre, à six kilomètres l'un de l'autre, vivants, conscients, mais glacés et sans forces. Les sapeurs-pompiers d'Étaples les ramenèrent aux alentours de sept heures du soir, enveloppés dans des couvertures, dessoûlés, flageolants et apparemment confus, avec néanmoins, au coin des lèvres, un petit sourire qui pouvait faire penser qu'ils ne regrettaient pas complètement l'aventure. Carmen estima par la suite que c'est ce sourire, précisément, qui provoqua la rage de Robert.

Écartant avec brutalité Carmen, qui, surprise, bascula et se cogna durement sur le coin de la table basse, il se jeta en hurlant sur les rescapés, avec la force que donne la grande colère.

– Je vais vous tuer. Vous êtes des salopards, je vais vous tuer !

Décidément, Robert aimait Ramon et Damien plus que tout, et Carmen, qui s'était fait mal et qui pleurait de douleur et de soulagement, en conçut un peu de jalousie.

Entre deux coups, Damien trouva le moyen de lancer à Robert que, s'il n'avait pas dormi comme un gros porc, il aurait pu donner l'alerte plus tôt. Sur quoi Robert lui cassa la canine gauche, provoquant chez Brigitte un rire en hoquet proche du sanglot. Une très jolie lampe chinoise, qui venait du grand-père paternel de Brigitte, diplomate à Pékin, fut brisée pendant la bagarre, et l'action conjuguée de deux pompiers et du maître de maison fut nécessaire pour maîtriser Robert et rétablir la situation. Excédé, Jean Boyerdrey suggéra à Damien et Ramon de monter se reposer dans leur chambre. Il ajouta qu'ils avaient suffisamment ennuyé le monde pour la journée, et, dans la foulée, ouvrit deux bouteilles de pontet-canet 1976, dont il offrit un verre aux pompiers.

Jean, Brigitte, Robert et Carmen mangèrent avec un appétit retrouvé la selle d'agneau froide et les haricots verts que Mme Chalmain avait apprêtés en salade. Après le repas, ils s'assirent en tailleur devant le feu allumé pour fêter le retour des garçons. Brigitte et Jean se tenaient par le cou, et de temps en temps, le mari piquait des petits baisers sur la joue de sa femme ou lui pinçait les côtes l'air enchanté, Robert adressait à la ronde un sourire bienveillant et niais et, à la surprise générale, Carmen chanta, d'une voix très juste et très pure, les trois premiers couplets de *L'Internationale*.

Une carte de joyeux anniversaire, chardons pailletés, brin de bruyère blanche, arriva d'Écosse le 18 août 1995. Donald lui souhaitait beaucoup de bonheur pour ses vingt ans et réitérait sa demande en mariage. Carmen ne répondit pas.

Fin septembre, elle intégra HEC, transporta ses affaires à Jouy-en-Josas et prit possession sur le campus de la chambre et de la douche attenante, affectées à son usage pour les trois années à venir. Consciente comme jamais de la modestie de ses origines, de la médiocrité de sa garde-robe et du peu de prix de sa montre-bracelet, elle eut la nostalgie de la petite salle de bains de la rue du Regard, avec, pendues côte à côte sous le vasistas de verre dépoli, les serviettes familiales, rouge pour Jocelyne, bleue pour Ramon et pour elle, verte, « la couleur des traîtres », faisait remarquer Ramon, quand, petits, ils se lavaient ensemble.

– Mon père est mort, ma mère est directrice de crèche et ma grand-mère était concierge.

Un soir, quinze jours environ après la rentrée, quelques élèves étaient restés à la cafétéria, à discuter et faire connaissance entre nouveaux venus et voisins de chambre. Ils s'observaient, s'évaluaient, prenaient leurs marques, les affinités se dessinaient, alliances et clans s'ébauchaient. À la Grande École de Jouy-en-Josas, on était entre soi, fils d'industriels, d'entrepreneurs ou de gros commerçants de province. On avait voyagé, étudié à l'étranger, en Angleterre ou aux États-Unis, on était sportif, on avait la peau claire, les dents blanches, les cheveux fins, lisses, blonds de préférence, et l'assurance des forts en thème et des nantis. Les enfants d'employés et de petits fonctionnaires formaient une minorité infime et discrète. Quant à la classe ouvrière elle n'était pas représentée.

Lorsqu'on en vint à l'inévitable question concernant la profession des parents, Carmen hésita. Elle aurait pu mentir, en dire le moins possible, s'arranger avec la vérité, mais non. Dans ce campus de rêve, au milieu des arbres, des bosquets, des fleurs et des équipements sportifs, scientifiques et audiovisuels du dernier cri, dans un confort qu'elle n'avait rencontré jusque-là que chez les parents de Damien, elle dit « ma grand-mère était concierge ». Pour en rajouter un peu, elle ajouta « et mon grand-père ouvrier typographe, délégué CGT pendant quarante ans ». Elle sourit, finit son verre, et nota le bref silence qui suivit son annonce, avant que ne reprennent conversations et rires.

S'affranchir des pesanteurs familiales était une chose, vivre avec l'ennemi, se couler dans ses règles et se plier à ses lois en était une autre. L'anonymat douillet d'Édimbourg était loin. Dans cette enceinte vouée à l'argent, où tout allait à l'encontre des valeurs sacrées de sa famille, où le mot « cocos » était prononcé avec dérision, haine ou mépris, Carmen mesura dans toute son ampleur la difficulté de la tâche entreprise pour que sa vie ne ressemble en rien à celle de sa mère. Elle était prête.

Satisfaite d'avoir dit à haute voix, et une fois pour toutes, d'où elle venait, elle se retrancha dans sa réserve coutumière, à l'abri de sa beauté. Elle parlait peu, travaillait beaucoup, économisant agressivité et violence pour ses leçons d'escrime, discipline choisie parmi les sports proposés aux élèves pour ce qu'elle exigeait d'adresse, de rapidité et de capacité d'anticipation. Les garçons comprirent vite qu'il n'y avait rien à tirer de cette jolie fille qui refusait les coucheries passagères et qui, par ailleurs, était un vilain parti. Surnommée la « vierge rouge », elle remit son costume de bosseuse solitaire en haussant les épaules. Comme par le passé, il lui servirait d'armure et de bouclier.

Journal de Jocelyne Diaz-Bergeron

Le 8 janvier 1996

Déjeuner avec André au Cassette, qui m'a annoncé la mort de François Mitterrand. Tout le mal que cet homme a fait au Parti communiste, à la gauche, et tout le bien qu'il a fait à l'extrême droite est scellé depuis longtemps, alors, mort ou vivant, qu'est-ce que ça change ? On va l'enterrer, l'encenser, l'oublier un temps, et les socialistes vont le ressortir quand ils en auront besoin. Je leur fais confiance.

Mes enfants me déçoivent et je ne les comprends pas, ils ne croient en rien, le mot « idéal » ne fait pas partie de leur vocabulaire. Quant à « solidarité », n'en parlons pas, ils ne savent pas ce que cela veut dire. Ramon n'a aucun sens des réalités, hier, il a encore changé d'idée, il a déclaré qu'il allait se mettre au saxophone.

Pour Carmen, que s'est-il donc passé ? La mort de son père n'explique pas tout. Souvent je pense que c'est après moi qu'elle en a, peut-être parce que j'ai toujours eu un faible pour son frère. Je ne sais pas. Mais, quand elle arrive le vendredi soir avec ses grands airs, ses mocassins bien cirés et son attaché-case de col-blanc, je n'attends qu'une chose, c'est qu'elle reparte. Elle aussi, probablement.

Je suis fatiguée, mon dos me fait souffrir, je prends trop d'aspirine, et Samia pense que je devrais aller voir un médecin, mais je n'ai pas le temps. Demain il y a conseil d'administration à la crèche, et je vais devoir me battre encore et encore pour cette création de poste. Enfin, je crois avoir trouvé une maison de retraite convenable pour les parents, c'est déjà ça. Maintenant il va falloir les convaincre de quitter le Marais… ce qui ne va pas être chose facile.

Pendant ses trois années d'école, de sa banlieue cossue, de son enclos protégé, Carmen observa la planète comme un astronome observe le ciel. De loin. La lecture exhaustive des grands quotidiens et des journaux économiques occupait ses soirées jusque tard dans la nuit. Le jour, elle étudiait, et le vendredi soir elle retrouvait gare Montparnasse l'humanité ordinaire et la confrontation avec Jocelyne, plus dure chaque fois.

– Des ouvriers comme ton grand-père, des femmes et des hommes de cinquante ans qui ne retrouveront jamais de travail, trois mille personnes à la rue, sans protection, sans argent, ça ne te fait rien. Tu as perdu tout ton orgueil, ma parole.

Ce fut à l'occasion de la fermeture de l'usine Renault de Vilvoorde, et de la première « euro manifestation » de l'Histoire, le 16 mars 1997, que la rupture eut lieu.

Portée par un espoir insensé, Jocelyne avait proposé à sa fille de venir avec elle rejoindre les camarades, place de la République, en ce samedi après-midi où, en dépit d'une petite bise assez vicieuse, un beau soleil confirmait l'arrivée imminente du printemps. Parce que l'idée même de manifestation la hérissait, que Donald lui manquait, que l'appel à son orgueil l'avait piquée, Carmen refusa méchamment, lançant que, pour le bonheur des gens, mieux valait des entreprises performantes et une économie saine que des usines sous perfusion. En passant, elle rappela à sa mère que, malgré les déportations massives et les famines organisées, l'économie soviétique et ses plans quinquennaux s'était révélée un des plus spectaculaires fiascos de l'histoire de l'humanité.

Une main sur la poignée de la porte, dans l'autre la banderole « Tous ensemble, Paris avec Vilvoorde » Jocelyne se fâcha, ce qui ne lui arrivait pratiquement jamais. Elle dit à sa fille que c'était l'avenir qui comptait, que cela ne servait à rien de revenir sans cesse sur le passé et que, du reste, les communistes avaient reconnu publiquement leurs erreurs.

– Pas leurs erreurs, maman, leurs crimes, c'est différent. Par exemple, tu as fait une erreur en épousant papa, tu n'as pas commis un crime.

Des taches rouges apparurent au cou et au visage de Jocelyne.

– Tu n'as pas de cœur, Carmen.

Puis, encombrée par sa banderole, elle quitta l'appartement pour aller au rendez-vous fixé avec Samia et André, boulevard du Temple, au bas des escaliers qui mènent à la Brasserie Jenny.

Du 16 mars 1997 au 5 octobre 2001, mère et fille ne se parlèrent plus.

– Carmen est majeure, elle fait ce qu'elle veut.

Avant de mettre la chambre d'amis de la rue Auguste-Comte à la disposition de Carmen, une idée de Damien, Brigitte trouva décent d'en toucher un mot à Jocelyne

Diaz-Bergeron, qui, pour sa part, ne voyait pas la nécessité de s'entretenir avec cette bourgeoise poudrée et insistante. Après le quatrième coup de fil, elle accepta finalement une rencontre rapide au bar Le Mézières, petit café enfumé et bondé où, plusieurs fois par semaine, elle déjeunait en vitesse d'une assiette de cantal de Salers, bien fort et bien croûteux, qui faisait la réputation de l'établissement et la fierté du gérant.

– Si vous avez de quoi la loger et si cela ne vous dérange pas, je ne vois pas pourquoi, ni comment je m'opposerais à ce que vous l'hébergiez et puis...

Jocelyne aurait dû se taire, mais ce fut plus fort qu'elle :

– Et puis, je suis sûre que vous vous entendrez très bien.

Le café était trop amer au goût de Brigitte, qui reposa la tasse sur le comptoir sans le boire, frotta l'une contre l'autre ses jolies mains baguées et, dans un petit rire, répondit à Jocelyne qu'elle s'entendait bien avec Carmen, depuis longtemps déjà.

– Depuis dix-sept ans, si ma mémoire est bonne.

De ce jour, du vendredi soir au dimanche après-midi, la chambre d'amis un peu sombre qui donnait sur la cour fut réservée à Carmen. Discrète et silencieuse, elle entrait par la porte de service dont elle avait la clé, déposait son sac, allait saluer Brigitte avec qui elle bavardait un peu, puis disparaissait. Le samedi après le déjeuner, elle filait patiner rue Édouard-Pailleron, avant de rejoindre Géraldine à l'Auld Alliance, rue François-Miron, où elle parlait d'Édimbourg et des Midlands avec la patronne, une Écossaise énergique, tapée et teinte en rouge, qui parlait un français chaotique, de la voix basse et séduisante des vieilles fumeuses. Les garçons venaient souvent les rejoindre et, à l'occasion, Carmen passait derrière le bar donner un coup de main, ce qui l'amenait jusqu'à deux heures du matin. Les jeunes banlieusards lâchés dans Paris, les buveurs de bière, abrutis ou furieux, la changeaient agréablement des pensionnaires formatés et sages de la Grande École de Jouy. Le dimanche, elle dormait jusqu'à trois heures de l'après-midi, avant de reprendre son train. Le temps passait vite.

Elle a posé ses patins par terre, ses vieux patins blancs, cadeau de Carlos. Ils sont lourds, démodés, ennuyeux à mettre et à retirer. Le cuir fatigué, plus gris que blanc, est déchiré en plusieurs endroits et les lames épaisses demandent à être constamment affûtées.

Mais personne ne se moque des vieux patins, car rue Édouard-Pailleron, à la station Bolivar, on respecte cette patineuse hors pair qui fonce à toute allure, laissant dans la glace artificielle des sillons réguliers et profonds.

Le vestiaire sent le moisi et la transpiration. Assise sur le banc à claire-voie, qui pince fesses et cuisses, elle regarde le décor qui se détériore doucement, casiers cabossés, patères branlantes, peinture écaillée. Les bruits en revanche ne changent pas, les jurons de ceux qui tombent, le rire des filles, les crissements des patineurs s'arrêtant en schuss devant la porte, suivis de l'impact saccadé de leurs pas sur le sol carrelé, et la musique à fond, déformée par une sono antique qu'il n'est pas question de remplacer. La patinoire coûte cher, les incidents entre bandes rivales s'aggravent de façon préoccupante et indisposent les riverains, hostiles à ce public jeune, bruyant et mélangé. Le conseil municipal a tranché. La dernière patinoire de Paris ne rouvrira pas ses portes après les grandes vacances de 1997. Les voisins sont contents, Carmen désolée.

En rapportant sa clé au comptoir, elle embrasse le vieil Arabe, qu'elle a connu glabre, jeune et beau, et qui, depuis quelque temps, laisse pousser une barbe grise et peu fournie.

On était en juin, il faisait soleil. Le sac sur l'épaule, pensive, elle descendit l'avenue Secrétan jusqu'au quai de Loire, traversa le canal et prit l'avenue de Flandre, jusqu'au numéro 127. Devant un immeuble moderne et prétentieux, où la pluie acide des villes laissait sur le béton de longues traces noires, Carmen sonna à l'interphone sur le nom « Blanchart ».

Les confortables charentaises à carreaux marron et noir que Robert avait aux pieds étaient son unique manifestation de piété filiale. Comme Fernand Blanchart, Robert se chaussait exclusivement chez Buisson, en haut de l'avenue Jean-Jaurès, où il achetait tous les deux ans des pantoufles de feutre et des souliers à semelles crêpe en cuir grainé d'une pointure au-dessus de la sienne, pour être bien à l'aise.

Trois chaises pliantes et une table de camping recouverte d'un tapis vert pour le tarot ou le Trivial Poursuite du dimanche soir, un futon pour dormir, une planche, des tréteaux et un ordinateur pour travailler, des livres de droit posés soigneusement le long des plinthes autour du séjour et de la chambre. L'appartement de Robert aurait fait au choix un logement de curé ou celui d'un malfaiteur en cavale.

La visite impromptue ne le surprit pas. Il servit à Carmen du thé en sachet et des sablés bretons, dont il consommait deux à trois paquets par jour.

– La patinoire va fermer... Et ta mère va quitter la rue du Regard.

Carmen le fit répéter.

– Je te dis qu'elle quitte la rue du Regard.

Le petit appartement avait pris de la valeur, les propriétaires voulaient vendre et Jocelyne n'avait pas les moyens d'acheter. Elle avait obtenu un deux-pièces de la Ville de Paris, rue Lahire, dans une tour qui donnait sur l'église Jeanne-d'Arc. Ses économies serviraient à constituer un apport pour l'achat d'un studio. Ramon y habiterait et paierait les traites en contrepartie.

De grosses larmes mouillèrent les biscuits.

La patinoire, la rue du Regard. Les lieux de son enfance fermaient les uns après les autres. Certes, elle détestait le petit logement étriqué, sombre et sonore qui sentait mauvais pendant plusieurs jours quand la concierge faisait griller des sardines ou de la morue dans sa loge, n'empêche, c'était sa maison. Elle y avait été heureuse un temps, autrefois, Ramon aurait dû la prévenir.

Robert avait tordu le cou à son malheur d'enfant depuis longtemps déjà. Il s'était trouvé deux frères et une petite sœur, une passion pour le droit et les courses de chevaux et redoutait l'attendrissement sous toutes ses formes. Il perçut la tristesse de Carmen, et la comprit. Il aurait pu la bercer, la consoler, mais, pour lui rendre service et parce qu'il l'aimait bien, il choisit de la houspiller.

– Tu ne vas pas te mettre à pleurer, comme ton frère. Tu es en bonne santé, tu es mignonne, tu as de bons résultats, qu'est-ce que tu veux de plus ? Les déménagements font partie de la vie. Je t'assure que je n'aurai pas une larme quand ils vendront le pavillon.

Un peu vexée, d'une petite voix qui néanmoins avait repris de l'assurance, Carmen lui fit observer que, en matière de sentiments, il était dangereux de prévoir l'avenir.

– Aussi bien, tu pleureras comme un veau sur ton enfance et sur les vers de terre que tu coupais en morceaux dans le fond du jardin.

Robert rigola, lui attrapa les mains à travers la table, lui dit qu'elle trouverait une autre patinoire plus moderne, plus grande, qu'ils iraient ce soir au pub boire un coup, et que Ramon lui présenterait sa petite amie, autre nouvelle dont Carmen n'avait pas eu vent et qui, par une association d'idées mal venue, lui fit se souvenir qu'elle n'avait pas encore répondu au faire-part de mariage de Donald, qui serait célébré le 17 septembre prochain, à Dunkeld.

Cloître et retraite, discipline, corvées et permissions, combats et victoires. Pour parler de ses années d'HEC, Carmen usait des termes religieux et militaires.

En juin 1998, la « vierge rouge » sortit troisième de sa promotion. Elle avait acquis une solide connaissance des lois du commerce, de l'économie et des finances internationales, avec, en prime, un statut de personne déplacée.

Elle était devenue pour les siens une bourgeoise accomplie et demeurerait pour les autres, et à jamais, une enfant de prolos.

VI

L'immense drapeau bleu, blanc, rouge, trempé de pluie, tanguait au gré de la démarche sinueuse et chaloupée du gaillard blond qui le brandissait, ivre de vin et de joie. Le 13 juillet 1998 au matin, les rues de Paris étaient désertes, silencieuses et mouillées, après avoir charrié, la veille au soir et une bonne partie de la nuit, une foule compacte, jubilante et hurlante, comme on n'en avait plus vu depuis la Libération, en août 1944.

La France avait gagné. Elle était championne du monde de football.

Le 14 juillet, pas de congé pour Carmen. Elle travaillait depuis une quinzaine de jours dans une banque où elle arrivait très tôt et partait très tard. Parapluie dans une main, lourde serviette en veau grainé dans l'autre, elle marchait à pas rapides en direction du jeune homme au drapeau qui ne voulait pas que la fête finisse. Il déposa sa bannière à terre et s'avança vers la jeune femme, enthousiaste, ravi, bras largement ouverts. Carmen, elle aussi, avait passé une joyeuse nuit, alors, plutôt que d'écarter sèchement le fêtard attardé, ce qu'elle aurait fait dans d'autres circonstances, elle se laissa embrasser sur les deux joues et, de tout son cœur, lui souhaita bonne chance, bonne chance à la France, bonne chance à l'Europe, bonne chance au monde et bonne chance à elle-même. Le passant de la rue Monge, tout attendri et subitement amoureux, regarda s'éloigner la jolie brune aux yeux noirs qui se hâtait vers la bouche de métro et qui, peut-être, lui porterait bonheur.

Ils s'étaient donné rendez-vous la veille chez Ramon pour regarder le match ensemble. Porte d'Italie, boulevard périphérique, Montrouge, le studio orienté au sud avait une vue qui portait loin. Petit mais bien distribué, propre et rangé, il était situé au cinquième étage d'un de ces immeubles de brique rouge, que la Ville de Paris avait fait construire le long des boulevards extérieurs, dans les années trente.

Stéphanie, qui faisait tout comme il faut, avait acheté de la bière, du soda, des chips et, en cas de victoire, une bouteille de champagne, du brut, du bon, du cher.

Stéphanie était le double affadi de Jocelyne, qui n'aurait pu rêver mieux pour son irrégulier de fils que cette puéricultrice de trente ans, avenante et sérieuse, qui s'occupait de Ramon comme elle s'occupait des petits de la crèche, le nourrissait, le dorlotait, le réveillait tous les matins pour qu'il ne soit pas en retard au travail, et qui avait vite compris que, pour le garder, il fallait accepter sans réserve Damien, Robert et la petite sœur dont elle détestait l'ironie, les manières, les vêtements aux couleurs sourdes et la politesse froide.

« État de grâce », « Dieux du stade », « sacrés mecs », les cris jaillirent, les garçons sautèrent du canapé et se tombèrent dans les bras. Stéphanie alla chercher le champagne, et Carmen, quoique sans goût pour les sports d'équipe mais gagnée par l'enthousiasme collectif, la suivit dans la cuisine en lui proposant de porter les coupes.

En bas, le concert des klaxons avait démarré très fort, la France entière était à la noce et les cafetiers firent une des meilleures recettes de leur vie. Puis Damien et Ramon s'endormirent et, bien entendu, Robert raccompagna Carmen.

24 rue des Boulangers, au bas de l'immeuble où elle louait une chambre de bonne microscopique, elle lui proposa de venir boire un dernier verre, il accepta. Ils montèrent péniblement les six étages, un doigt sur la bouche pour ne pas réveiller les voisins. Devant sa porte, Carmen

suggéra qu'ils couchent ensemble, en copains. Robert ne s'y opposa pas. La fermeture Éclair de son pantalon bleu électrique se bloqua, ce qui arrivait de temps à autre, il se promettait chaque fois de la faire changer, puis il oubliait. De ses doigts délicats et agiles, Carmen en vint à bout, sans trop de mal.

Ils étaient ivres et maladroits, fraternels et joyeux.

Un petit sourire, un petit bonjour, Carmen passa sans s'arrêter devant la porte entrouverte et capitonnée à l'ancienne du bureau de Jean Boyerdrey.

Plus question de football, de jeux ou de galipettes, ici on s'occupait d'argent, de cours de la Bourse, de conjoncture nationale et internationale et de bulle financière. On parlait bas, on toquait aux portes et l'on attendait avant d'entrer d'y avoir été autorisé.

Chaudouin frères, fondé en 1859, la mention était gravée en anglaises sur une plaque de cuivre un peu terne, de la taille d'une demi-feuille de papier. Au 134 boulevard Haussmann, les piétons pressés passaient sans le savoir devant le siège d'une vieille banque française, de dimensions modestes et d'excellente réputation, connue pour le choix judicieux de ses associés, de ses clients et de ses conseils. Acharnement au travail, intelligence, stratégie, tactique et discrétion étaient les qualités requises dans la vieille maison où, depuis le début du mois de juillet, Carmen occupait un petit bureau, communiquant avec celui de son patron, à peine plus grand que le sien.

Les Chaudouin étaient protestants. Contrairement à leurs confrères catholiques, ils ne faisaient pas mine de mépriser l'argent, ils ne l'étalaient pas non plus. Le seul luxe apparent de Bernard Chaudouin était une vieille Jaguar mordorée, sièges en cuir et tableau de bord en loupe d'orme, qui tombait en panne tous les deux mois. Bernard Chaudouin était petit, gros, terne et pas bavard, ce qui ne trompait personne. Quand il arrivait dans un bureau, chacun savait que le chef venait d'entrer, quoi qu'en dise l'organigramme, où ses frères, Emmanuel et Pierre, figuraient en haut de page, sur la même ligne que lui.

Quant à Jean Boyerdrey, dont le bureau était trois fois plus grand que celui de Bernard, on racontait qu'il devait sa place et son salaire à l'amitié qui le liait aux frères Chaudouin depuis leurs années de faculté, enracinée dans leur goût commun pour Les Chaussettes Noires et Eddy Mitchell, dit « Schmoll ».

Il arrivait dans les premiers, partait après tout le monde, et Carmen n'avait toujours pas compris quelles étaient au juste ses fonctions. Ce qu'elle savait, par contre, c'est que sans lui elle n'aurait jamais obtenu le poste d'assistante stagiaire de Bernard Chaudouin.

– Je t'assure, prends-la. Je la connais depuis l'enfance, elle est étonnante, bosseuse, têtue, beaucoup d'ambition, mais surtout, elle a une revanche à prendre.

Les comptes et les bilans, Carmen adorait ça. Elle y consacrait des heures, cherchait, fouinait, s'y plongeait, pointait les erreurs et les oublis, traquait les vices cachés, débusquait les entourloupes, les ruses et les mensonges, posait des questions désagréables et indiscrètes, exigeait des documents complémentaires, harcelait les comptables, et enfin donnait son sentiment, « oui ou non », « bons ou mauvais », « à suivre ».

Cependant, le lendemain du championnat, elle ne parvenait pas à se concentrer sur les documents financiers de l'entreprise belge en châssis et huisseries métalliques, qui souhaitait ouvrir un compte chez Chaudouin frères. Elle pensait à tout autre chose.

– Tu as cinq minutes pour déjeuner ?

Pas bien loin, rue La Boétie, Robert travaillait lui aussi. À l'inverse de la vieille banque, le hall d'accueil du cabinet d'avocats se déployait aux yeux de tous. À travers les grandes portes vitrées, on voyait les hôtesses, jeunes et jolies, les plantes vertes, une médiocre sculpture moderne, et à côté des ascenseurs, gravées dans du marbre sable veiné de roux, les adresses des bureaux de Londres, New York et Los Angeles.

– Qu'est-ce qui se passe, c'est grave ?

– Oui, c'est grave.

Entre midi et deux, l'odeur des brasseries parisiennes varie peu d'un établissement à l'autre, graisses cuites, tabac, eau de toilette et transpiration. Celle de la place Saint-Augustin refuse du monde, on mange le plat du jour en vitesse, on boit un café trop chaud et on tire une dernière bouffée avant de retourner au bureau, où depuis peu la cigarette est prohibée.

De l'eau pétillante pour Carmen, un demi pour Robert et, pour tous les deux, un hachis Parmentier dont Robert affirme qu'il est fait des restes de la semaine passée. Les hommes portent des costumes sombres et mous, coupés à l'italienne et les femmes des tailleurs cintrés, des anneaux d'or aux oreilles et des talons hauts. Ils sont français, ils sont heureux, et commentent en termes épiques le match de la veille et les merveilles des « Bleus ». Tous sauf Carmen.

– Tu ne leur diras rien.

C'est ce qui l'obsède et la tourmente depuis ce matin. Elle ne cesse de penser aux possibles et terribles conséquences des deux petites heures de liesse en chambre qu'elle s'est payées cette nuit avec Robert, en écho à celle de la rue.

Carmen l'a prouvé, elle n'a peur de rien ni de personne. À une exception près, la peur intime et torturante de tout ce qui pourrait mettre en péril l'amour enfantin, démesuré et sans remède qu'elle porte aux trois garçons.

– Mais ne t'inquiète donc pas. Qu'est-ce que tu veux que je leur dise ? Il n'y a rien à dire. Tu es ma petite sœur et entre frère et sœur, ces choses-là ne tirent pas à conséquence, c'est bien connu.

Carmen respira mieux, Robert blaguait de tout, et il avait raison. Ces deux petites heures n'avaient aucune importance. Il ne s'était rien passé. Carmen termina son hachis, qui tout compte fait n'était pas mauvais, et elle retourna à ses dossiers.

En moins d'un an, Carmen se rendit indispensable. Bernard Chaudouin ne pouvait plus se passer d'elle, et il était amoureux, autant qu'il pouvait l'être.

En y songeant, Carmen conclut qu'il l'avait fait exprès. Bernard savait qu'elle était là et que la porte du sas était entrouverte, puisque, aussi bien, lorsqu'il souhaitait ne pas être entendu, il venait la fermer avec un sourire condescendant et paternel, qui signifiait que, en dépit de la confiance grandissante qu'il lui portait, elle ne serait jamais au courant de tout.

– Cette fois, Jean…

Bernard rappela à Jean Boyerdrey quelques bourdes anciennes et graves, rattrapées in extremis et couvertes par amitié. Il brossa un tableau de la situation actuelle, parla de méthodes nouvelles et de sang neuf.

– Tu as l'âge de la retraite et tu ne pars pas les mains vides, c'est le moins qu'on puisse dire.

Le sang neuf, il était de l'autre côté de la cloison. Jean mesura l'ironie et la banalité de la situation. C'était à lui que Carmen devait sa place, c'était probablement la sienne qu'elle prendrait à moyenne échéance. Issue classique, boulevardière. Il ne lui en voulait pas. En sursis depuis longtemps, il regretterait son bureau, ses meubles Empire, le cuir vert bouteille de son fauteuil, les schémas et les courbes qu'il établissait avec une minutie maniaque et qu'il vérifiait interminablement, sa table chez Guido, ses habitudes, ses manies. Il pensa qu'il aurait désormais tout son temps pour suivre sa fille, qui, en France et à l'étranger, montait dans des concours hippiques prestigieux, où elle se montrait décidément très douée. Avec ses indemnités, il lui achèterait le cheval de ses rêves.

Carmen aurait préféré ne rien entendre. Elle ne prit aucun plaisir à cette exécution rapide au cours de laquelle l'accusé ne dit rien. Le message était clair : la patience des frères Chaudouin à l'égard de Jean Boyerdrey avait été fondée sur quelques souvenirs de jeunesse et par une solidarité de classe et d'intérêt avec la famille de Brigitte, dont Carmen ne bénéficierait jamais. Elle n'avait qu'à bien se tenir, on ne lui passerait rien.

Il était tard, Jean avait quitté le bureau sans saluer Carmen, et Bernard proposa à la jeune fille de la raccompagner chez elle, dans le cinquième arrondissement, à l'opposé de son hôtel particulier du square des Écrivains-Combattants.

– Quel âge avez-vous, Carmen ?

– Vingt-quatre ans, monsieur.

Carmen, qui n'était pas croyante, se surprit à invoquer le Seigneur. « Mon Dieu, faites qu'il ne me pose pas de questions sur ma vie privée. Je consacre huit à dix heures par jour à ses affaires. Je suis bonne, excellente, même. Dans trois ans, quatre peut-être, je serai la meilleure après lui, et un jour je serai la meilleure tout court. Alors, s'il vous plaît, faites qu'il ne gâche pas tout. Qu'il ne joue pas au papa parce qu'il a envie de me sauter. Il vaut mieux que cela, d'autant que je commence à le connaître, la seule chose qu'il aime, c'est écrabouiller la concurrence, le reste, il s'en fout. »

La nuit était tombée. Du boulevard Haussmann à la rue des Boulangers, le trajet dura un quart d'heure à peine.

– Vous avez eu le temps d'ouvrir le dossier de cette jeune société ?

– Non monsieur, je verrai ça demain. Bonsoir monsieur et merci.

Chez Bernard et Agnès Chaudouin, le repas du soir n'était jamais servi avant neuf heures.

Bernard trouva son épouse bien blonde, bien vieille et bien fanée, mais il lui savait gré de l'amitié légère et distante dont elle l'entourait. Agnès Chaudouin ne demandait pas à son mari de l'aimer, de l'écouter ou de lui apporter des fleurs pour son anniversaire. Elle lui demandait de l'argent en grande quantité pour entretenir le somptueux jardin de Varangéville et son exceptionnelle collection de magnolias, pour payer les jardiniers, les plantes et le matériel, et pour financer ses voyages autour du monde à la recherche d'espèces nouvelles.

Le bureau de Jean Boyerdrey fut transformé en salle multimédia, dont les multiples écrans étaient connectés jour et nuit avec les grandes places boursières. Bernard

Chaudouin en était enchanté, il garda Carmen dans le petit bureau jouxtant le sien, et ne proposa jamais plus de la raccompagner. D'ailleurs, la plupart du temps, il quittait la banque avant elle.

Au terme de son stage, en septembre 1999, Carmen Diaz fut engagée comme assistante par la banque Chaudouin Frères, sur les bases d'un contrat à durée indéterminée, avec un salaire trois fois plus important que celui que touchait sa mère après trente ans passés dans les services sanitaires et sociaux de la Ville de Paris. Carmen se mit aussitôt en quête d'un appartement, qu'elle voulait à égale distance du Luxembourg et du Jardin des Plantes, et elle acquit une Twingo noire, avec toit ouvrant et air conditionné en option.

L'élégant deux-pièces à louer rue Tournefort, en face de la librairie portugaise, lui fut signalé par la marchande de journaux de la rue Lacépède. Grandes fenêtres, petits balcons, parquet, cheminée et, à droite en entrant, des cabinets de taille respectable, avec une lucarne d'où l'on voyait le ciel. Carmen y accrocha deux affiches, le Festival d'Édimbourg 1994 et *L'Empire des lumières* de Magritte. Elle y installa un petit banc de bois pour les revues, une petite armoire pour les produits d'entretien et un lampion blanc. Elle acheta des tapis de couleurs vives, un canapé confortable, et un grand lit dans lequel elle dormait en travers, et sur le ventre. Elle était chez elle. Dans une semaine, trois jours avant Noël, elle pendrait la crémaillère.

La fête avait bien commencé.

André s'était chargé du vin, douze bouteilles de pernand-vergelesses, vin de Bourgogne qu'il aimait beaucoup. Carmen avait préparé les tapas comme Carlos le lui avait appris, tortillas coupées en petits morceaux piqués de cure-dents, poulpes marinés, jambon Serrano, chorizo et anchois à l'escabèche ; Samia avait fait des boulettes à la coriandre et des carottes à la marocaine et acheté des rillettes d'oie, les meilleures de Paris. Les petits cigarillos noirs, tordus et puants dont raffolait Carmen, plus quelques gros cigares, avaient été fournis par Robert, Ramon et Stéphanie avaient apporté des chips et des clémentines. Quant à Damien il avait fait son entrée une brassée de roses jaunes dans un bras, une belle inconnue dans l'autre.

À la septième bouteille, tout le monde était gai et la moindre bêtise déclenchait d'interminables fous rires. Damien entraîna Carmen dans une valse problématique, étant donné la taille modeste du séjour, à la suite de quoi l'heureuse locataire demanda le silence.

Le verre à la main, émue et toute rose, elle dit qu'elle était grande maintenant, qu'elle avait un travail qui lui plaisait, un joli appartement, qu'elle était en mesure de rembourser André de la totalité de sa dette, et qu'elle voulait le remercier parce que, sans lui, rien de tout cela n'aurait pu se faire, puis, tournée vers Damien, elle ajouta :

– N'oublie pas de remercier ton père de ma part, il m'a bien aidée lui aussi.

– Et ta mère, tu ne la remercies pas ?

Joues rouges, lèvres blanches, Samia tremblait de la tête aux pieds.

– Je bois à la santé de Jocelyne, à son courage, à son combat et à la vie de chien qu'elle a menée pour que toi et ton frère ne manquiez de rien.

Contrairement à l'effet recherché, la main apaisante d'André sur son épaule fit monter sa colère.

– Tu es brillante, tu gagnes beaucoup, tu as réussi, enfin, ce que tu appelles réussir, mais tu n'as pas de cœur Carmen.

Ce compliment, on le lui avait déjà servi.

– Et c'est pour ça que tu es seule.

– Ta gueule, connasse.

Robert, ivre et menaçant, s'approcha de Samia la main levée, Ramon et André le retinrent de justesse, et l'amie de Damien, qui s'était ennuyée toute la soirée, en profita pour faire mouvement vers la sortie sans que Damien songe à la retenir. Carmen, glacée, se figea au milieu de son joli salon.

– Tout le monde avait bu, ce sont des choses qui arrivent dans les fêtes, on dit n'importe quoi, la parole dépasse la pensée, dit Suzanne Lepoitevin, qui lui proposa un café pour la remonter.

À peine son ordinateur allumé, Carmen était venue se confier à cette femme de cinquante-cinq ans qui aimait rire, manger, jouer aux cartes et danser la valse et le tango, ce qu'elle faisait le samedi après-midi dans un club pour vieux du dix-septième arrondissement.

En 1965, Suzanne Lepoitevin avait été embauchée comme standardiste chez Chaudouin frères, elle avait vingt ans, le vieux Chaudouin était encore aux commandes. Elle avait élevé toute seule son fils, conçu avec un inconnu, un soir de mai 1968, lors d'une excursion à la Sorbonne. Le vieux Chaudouin ne l'avait pas questionnée. Après son congé maternité, il avait passé un coup de fil au préfet de Paris pour avoir une place dans une crèche, obtenue sous quinze jours. À la banque, elle savait tout de chacun et ne bavardait pas. Bernard Chaudouin l'appelait parfois dans son bureau, la gardait un petit quart d'heure et, de tout le personnel, c'était Suzanne la préférée de Carmen.

– C'est sa faute, Suzanne. Tout est toujours sa faute. Si je l'avais invitée, elle aurait sorti sa carte du parti et sa morale à deux balles. Je t'assure qu'elle aurait cassé l'ambiance avec son air réprobateur et ses réflexions désagréables. Mais elle est très forte, même absente, maman a gâché la fête.

La banque ferma le 24 décembre à midi pour laisser aux employés le temps de faire les dernières courses. Carmen avait décliné l'invitation de Suzanne pour le réveillon et les autres avaient quitté Paris. Ramon était à Melun, chez les parents de Stéphanie, Damien et Robert au Touquet, Géraldine à Toulouse. Depuis l'avant-veille, Carmen n'avait parlé à personne et s'était convaincue de l'avantage de la situation. Pas de cadeau débile, pas de sourire forcé, pas de phrase convenue. Elle s'était baignée, reposée, s'était fait un masque au tilleul, une épilation à la cire, un massage à l'huile d'avocat, elle avait dormi beaucoup, lu un peu et, jusque tard dans la nuit, elle avait regardé des sottises à la télévision en mangeant un demi-kilo de bonbons gélatineux, rouges et jaunes, violets et verts, noirs et marron.

C'est l'extraordinaire rumeur qui l'a réveillée.

Un étrange vacarme, sourd et terrible, tourbillonnant, ponctué par des chocs violents, des chutes brutales, des craquements et des froissements, et, entre des plages d'un silence encore plus inquiétant, le souffle puissant, qui revient, qui enfle, s'approche, s'éloigne, et revient à nouveau, et qui dure, qui dure.

Terrée sous sa couette, yeux clos, mains sur la tête, tête aux genoux, Carmen attend que le plafond s'écroule, que le plancher cède, que la maison s'effondre. C'est la même peur. Celle qui serre le crâne, sèche la bouche et le nez, paralyse et sidère. La petite fille, qui, treize ans en arrière, se préparait au pire sous la pile des chaussures de mariée de chez Tati, est de retour. Elle tremble, elle est seule, elle va mourir.

Puis, le vent tomba, la rumeur s'apaisa jusqu'à cesser, les bruits se turent.

Carmen se leva pour regarder par la fenêtre, entre les rideaux tirés. Elle sentit l'air froid et vit la chaussée déserte jonchée de pierres, de briques, de cheminées arrachées, d'échafaudages effondrés, de voitures défoncées, de vélos pliés en deux et de toutes sortes de débris, de bouts et de morceaux. Elle fut prise de vertige, le bruit du vent lui restait dans la tête, il tournait et avec lui, tournaient les paroles de Samia « Et c'est pour cela que tu es seule... ».

Alors, d'un coup, une grande fatigue l'accabla, de cette fatigue en béton armé que ressentait Jocelyne, quand, le soir, son dos la faisait souffrir et que les antalgiques ne pouvaient plus rien pour elle.

Le 26 décembre 1999, une tempête d'une rare violence ravagea la France en son entier, il y eut des blessés et des morts, des milliers d'arbres abattus ou déracinés, des maisons démolies, des entreprises et des foyers ruinés. La solitude que Carmen avait si bien négociée jusque-là commençait de lui peser sérieusement aux épaules.

– Un mari gentil et riche surtout !

L'habituelle plaisanterie prit tout son sens le soir du dernier réveillon du vingtième siècle.

L'arrière-salle du bistrot de la rue des Chartreux où, adolescents, ils avaient bu beaucoup de café, bâclé beaucoup de devoirs et appris en hâte beaucoup de leçons, accueillait la fête organisée par des anciens élèves de Montaigne, nostalgiques d'un passé tout proche et déjà idéalisé, tant le monde auquel ils se confrontaient se révélait différent, âpre, matériel, sans illusion, sans idéal.

Quand minuit sonna, elles dansaient ensemble en pouffant comme des gamines. Carmen n'avait pas trouvé de garçon à sa convenance. Quant à Géraldine, celui qu'elle convoitait faisait la cour à une autre, selon le schéma auquel elle semblait condamnée.

– Un mari gentil, voilà tout ce que je te souhaite.

Carmen mit les bras autour du cou de son amie et l'embrassa très fort. Géraldine lui rendit la pareille, en disant que, bientôt, sûrement, elles iraient ensemble promener leurs bébés dans les squares parisiens.

Le bug de l'an 2000 n'eut pas lieu. Géraldine continua de collectionner les amours malheureuses, Carmen de consacrer son temps à la banque Chaudouin, Bernard Chaudouin d'être content de ses services. La nuit il rêvait d'elle et n'y pensait plus le jour. L'entrée dans la banque d'un jeune cousin débrouillard et gros porteur, le développement exponentiel du commerce asiatique et la chute des tours jumelles de Manhattan le 11 septembre 2001 suffisaient à l'occuper.

Ceux que l'on prenait autrefois pour des fous parlant tout seuls étaient aujourd'hui des chefs d'entreprise pressés, des amoureux impatients de se retrouver, des grands-mères causant à leurs petits-enfants. Humains d'un genre nouveau, sonnants, vibrants et clignotants, greffés à leurs téléphones portables. On se mariait sur Internet, on y faisait ses courses, on y réclamait des rançons et l'on y exécutait des otages, les étés étaient torrides et des femmes en saris multicolores étaient des as de l'informatique. Il y avait dix ans que Carlos était mort et la petite planète avait beaucoup changé.

Avenue de Flandre ce dimanche, le Monopoly s'était prolongé tard dans la nuit par une séance vidéo de *Starsky et Hutch*, suivie de *La Loi de Los Angeles*, pièces importantes de la collection de Robert, visionnées des milliers de fois, vieilles bandes magnétiques passées, tressautantes et à peine audibles, ce qui n'avait aucune importance puisque les trois garçons connaissaient le dialogue par cœur et qu'ils le déclamaient à voix haute en même temps que les acteurs. Ils avaient essayé pour la circonstance un produit nouveau, très cher et prétendument sans danger, fourni par un confrère de Robert qui lui en avait dit beaucoup de bien.

Ils rirent comme des malades, burent des quantités de bière, et délirèrent jusque très tard dans la nuit, puis, d'un coup, ils eurent très chaud, Ramon alla ouvrir la fenêtre sur la rue et, pris d'un élan soudain, grimpa sur l'appui pour regarder le jour qui se levait. Il se retourna vers ses amis en écartant les bras, et dit :

– Regardez, je vole !

Damien et Robert crièrent « Fais pas le con ! »

Ramon sauta.

Neuf heures précises à midi trente. La réunion du directoire restreint du lundi était sacrée et Suzanne n'y passait que les communications d'extrême urgence. Carmen, la plus jeune et l'unique femme, y avait été admise depuis le 1er septembre 2001, promotion éclair après deux ans de maison, qui en avait inquiété plus d'un.

– C'est pour vous, Carmen.

Damien appelait de l'hôpital Tenon.

Ramon était tombé du cinquième étage de l'avenue de Flandre, il avait ricoché sur le balcon du troisième avant de s'aplatir sur la chaussée. Il souffrait de plusieurs fractures ouvertes et graves, mais aucun organe vital n'était touché.

– Ne t'inquiète pas, il est hors de danger.

Le téléphone en main Carmen se leva, repoussa son siège, s'apprêtant à quitter la réunion, puis elle se rassit.

Après le 11 septembre, la Bourse avait fait le plongeon. La situation était grave, c'était la guerre et le moment d'être malin. Or Bernard Chaudouin était extrêmement malin. Il devait ce matin-là faire part de ses réflexions et de la stratégie pour les semaines à venir, cruciales. Déterminantes.

– Tu me jures que sa vie n'est pas en danger, tu me le jures ?

Damien jura. Des séquelles étaient possibles, probables, mais Ramon était bien vivant.

– Je passerai à l'heure du déjeuner.

Carmen raccrocha, se rassit, pria l'assemblée de bien vouloir l'excuser pour cette interruption, replaça ses documents en ordre devant elle et reprit son stylo. Elle transpirait et transpira jusqu'à midi.

Coups de frein, coups d'accélérateur, de l'église Saint-Augustin à la place Gambetta, elle évita de justesse plusieurs accrochages.

L'hôpital, Carmen en avait horreur. Elle n'y avait pas remis les pieds depuis la mort de Carlos et dès le porche d'entrée, l'odeur, le grincement des chariots et des portes qui battent, les blouses blanches et les néons glacés lui sautèrent à la figure. Elle eut soudain la conviction que Damien lui avait menti, qu'elle était coupable de ne s'être pas précipitée au chevet de son frère, que c'était trop tard, que Ramon était mort.

– Il est juste cassé.

Juste cassé ! La gifle partit, si vite et si fort qu'elle fit reculer Damien jusqu'au mur.

– Bravo ma fille, il ne l'a pas volée.

Jocelyne était derrière elle.

Au front, entre les sourcils, autour de la bouche, les rides s'étaient creusées. Sa mère était vieillie, fatiguée, mais c'était bien elle, grande, carrée, rassurante.

Pas d'embrassade, pas d'effusions, elles se retrouvèrent d'emblée, unies dans leur colère, face à Damien et Robert, qui, confus et bredouillants, racontèrent les événements à leur façon, ne trompant ni la mère ni la fille qui, depuis le temps, connaissaient leurs goûts pour les substances bizarres et les jeux idiots.

Ramon était en morceaux. Clavicule et hanches emprisonnées dans des pansements mastic d'aspect humide et collant et dans des attelles en polystyrène vert vif qu'on aurait dites sorties d'un film de science-fiction, assommé par la morphine, le visage marbré de bleu et de jaune, il poussait de temps à autre de petites plaintes et des gémissements de nourrisson qui faisaient tressaillir les deux femmes.

Jocelyne devait retourner à la crèche, Carmen à la banque. Robert, qui détestait les malades et les médecins, en profita pour partir aussi, au moment où Stéphanie, qu'on avait oublié de prévenir, arrivait, complètement affolée.

– Je te dépose à la crèche.

Dehors comme dedans, la Twingo noire est impeccable, le contact met en route la radio branchée en permanence sur une station consacrée à l'économie et Jocelyne se retient de demander à sa fille si la voiture lui appartient.

L'habitacle est petit, la mère et la fille, toutes proches l'une de l'autre, choisissent leurs mots avec précaution.

Jocelyne regarde par la fenêtre et Carmen, qui s'applique à passer les vitesses sans à-coups, prend des nouvelles des grands-parents Bergeron qui vieillissent dans leur maison de retraite. À son tour, Jocelyne pose des questions neutres sur la santé, le travail, les loisirs. Carmen dit qu'elle est contente, que tout va bien, qu'elle travaille beaucoup, qu'elle n'a plus le temps de patiner, mais qu'elle court le dimanche matin avec Géraldine. Elle dit qu'elle n'a pas d'amoureux, mais que cela viendra, qu'elle est jeune encore.

– Et toi, comment vas-tu ?

– Je travaille, je milite, je fais du vélo en fin de semaine dans les environs de Paris. Je vieillis, je vais bien.

Journal de Jocelyne Diaz-Bergeron

Le 5 octobre 2001

Ramon en a pour trois mois au moins, sans compter la rééducation qui sera forcément très longue. Je n'ai pas pu parler à l'interne, mais Damien l'a vu au moment de l'admission. D'après lui, la fracture de la clavicule est propre. Par contre celle de la hanche est très mauvaise, Ramon boitera peut-être toute sa vie. Il fallait que cela tombe sur lui. J'ai eu Samia au téléphone, elle m'a assuré qu'il est dans un bon service, elle ira le voir ce soir et tâchera de parler à la surveillante.

Et puis, j'ai revu Carmen.

Ma fille est très belle, très espagnole. C'est le double féminin de Carlos, au physique en tout cas. Pour la force de caractère, c'est aux Bergeron qu'elle ressemble, même si elle ne veut pas le savoir. Elle a pris ce qu'il y avait de mieux dans chacun de ses parents, malheureusement elle met ses qualités au service des mauvaises causes et des mauvais bergers.

Nous n'avons pas parlé du passé, mais nous nous sommes dit à bientôt.

Je suis heureuse de l'avoir revue, même dans ces circonstances. Cela m'a fait du bien, à elle aussi, je pense.

Tout de même, que cette jeune personne, si élégante, si nette dans son trench-coat beige, soit la petite-fille du grand-père Bergeron, cela me dépasse et me peine. Quelque chose m'a échappé. Comme disent les jeunes, je n'ai rien compris au film.

– Tu le connais pourtant, tu sais qu'il est faible, fragile. Toi et Robert vous vous en sortirez toujours, pas lui. Vous auriez dû le protéger plutôt que de le mettre en danger.

En sortant de la banque, vers vingt heures, elle était venue directement à l'hôpital où Damien était resté toute la journée, à tenir la main valide de Ramon et à attendre les médecins pour parler avec eux de l'état de l'accidenté, de la réduction des fractures et des interventions à envisager.

Du haut de son mètre soixante, Carmen tança Damien, elle le sermonna, lui fit honte, et Damien lui donna raison. Désolé, éperdu de remords, s'apprêtant à plaider maladroitement sa cause et celle de Robert, il regarda la petite sœur de Ramon et, subitement, la vit. Il vit une jeune femme, très femme, très jolie, hautaine et sûre d'elle, à l'opposé de la petite noiraude, de la maigre fillette qui courait derrière eux sans pouvoir les rattraper.

Quand Robert arriva sur les neuf heures du soir, il regarda Damien, Carmen, à nouveau Damien et il pensa : Nous y voilà.

Sur quoi, de la pointe du sourcil à la tempe gauche, le battement annonciateur des névralgies qui le terrassaient pour plusieurs jours amorça son tic-tac.

Une infirmière à droite, une infirmière à gauche, Ramon avait reposé le pied par terre. Il avait été opéré à deux reprises, immobilisé longtemps, puis lentement épluché de ses pansements et, enfin, libéré de ses attelles. Ses jeunes os s'étaient refaits, la clavicule et la hanche, lardées de clous et de vis, avaient repris un service imparfait, Ramon claudiquerait à vie, marchant légèrement plus bas du côté droit. Les plaisanteries du corps médical sur les pouvoirs de séduction des boiteux ne l'amusaient pas, mais, à l'été, il irait sans canne, et un jour il courrait de nouveau, c'était l'essentiel.

Entre la rue de la Chine et la rue Belgrand, immédiatement à côté de l'hôpital Tenon, il y avait un café-tabac où Carmen et Damien dînèrent ensemble tous les soirs pendant trois mois, à l'exception du dimanche, jour de fermeture. Au fur et à mesure de ces tête-à-tête, entre croque-monsieur, omelettes au fromage et saucisses frites, Damien s'éprit de Carmen. Étonné que la chose ne se fût pas produite plus tôt, il s'en ouvrit à Robert, qui confirma que, en effet, c'était surprenant, quoique, ajouta-t-il, l'amour n'était pas sa spécialité et qu'il s'y connaissait davantage en courses de chevaux.

Le premier janvier 2002, dans la salle à manger du Touquet, face à la mer du Nord et par gros temps, Damien demanda Carmen en mariage.

Carmen accepta.

– Et l'amour alors, qu'est-ce que tu en fais ?

– Ne t'inquiète pas pour ça.

Carlos, Ramon, Damien, Robert. L'amour, Carmen connaît, il l'embarrasse et l'encombre.

Elles étaient allongées tête-bêche sur le canapé, après la course dominicale, Géraldine massait consciencieusement les petits pieds de son amie, qui venait de lui demander d'être témoin à sa noce.

Géraldine, toujours sans homme, avait été reçue à l'agrégation d'histoire. Le métier de professeur qu'elle exerçait dans un lycée de la périphérie parisienne lui plaisait, et elle le faisait bien. Les taches de rousseur, l'odeur de savon, les poignets épais et les gros cheveux rassuraient Carmen comme autrefois. Elle aimait courir avec son amie le dimanche matin le long des quais de la Seine, s'installer à une terrasse, place de la Bastille, pour manger des glaces à la pistache et au chocolat en se moquant des touristes, puis rentrer en flânant rue Tournefort regarder des vieux films romantiques et bêtes, et, enfin, dormir la tête sur ses genoux. Mais elle avait renoncé à lui faire comprendre l'essentiel.

Pour Géraldine, pour tous, le camouflage était sans défaut. L'exceptionnelle réussite professionnelle, les dix heures de travail quotidien, la bonne santé de son portefeuille, les stock-options qui s'engrangeaient doucement, quoi de mieux pour dissimuler, sous les traits d'une froide ambitieuse, l'enfant de la rue du Regard.

VII

Il y a promesse de mariage entre Carmen Pascaline Catalina Diaz et Damien Humbert Antoine Boyerdrey.

Les bans furent affichés à la mairie du sixième arrondissement, sous le porche, d'où l'on voit la fontaine des évêques ravalée, restaurée, blanchie, comme neuve.

Jocelyne se demanda si elle n'allait pas se fâcher derechef avec sa fille. À l'inverse de sa femme, la nouvelle n'étonna pas Jean Boyerdrey. Ramon applaudit des deux mains. Robert était perplexe, Damien heureux.

Une liste aux Galeries Lafayette, une autre chez un orfèvre connu de la rue de la Paix, un traiteur de la place Edmond-Rostand pour le buffet et, pour la robe, en souvenir de Carlos qu'elle connaissait bien et dont elle avait été éprise dans sa jeunesse, Jenny Cavali, la costumière de la Comédie-Française.

Jocelyne, qui avait finalement accepté d'assister au mariage, refusa de rencontrer Brigitte pour préparer la cérémonie, car sa bonne volonté avait des bornes. La réception se tiendrait dans les salons de la rue Auguste-Comte, d'où l'on verrait les arbres fruitiers du Luxembourg, en fleurs à cette époque de l'année. Carmen paierait sa robe et la moitié des frais, malgré les protestations véhémentes de Brigitte à qui la future mariée fit comprendre qu'elle possédait à la fois de l'orgueil et de quoi, ce qui n'était pas tout à fait vrai. Elle dut emprunter une assez forte somme à Bernard Chaudouin, tant une cérémonie comme celle-là était coûteuse.

Quand Damien venait passer la nuit rue Tournefort, Carmen dormait mal. Le futur marié bougeait et parlait dans son sommeil, il lançait ses bras et ses grandes jambes en travers du lit et manifestait au réveil un appétit sexuel insatiable. Depuis son départ d'Édimbourg, Carmen avait dormi seule. Mis à part la célébration du championnat du monde de football, elle s'était contentée, quand le souvenir de Donald se faisait trop insistant, d'un onanisme ponctuel, hygiénique et apaisant.

Damien se montra un amant maladroit, impatient et romantique qui se promenait nu dans l'appartement, déclarant son amour en vers et en chansons. Il lui tirait les cheveux et mangeait, au petit déjeuner, une demi-baguette avec autant de beurre que de mie. Carmen ne voyait pas de différence notable entre l'ambiance de ces repas matinaux et ceux qu'elle partageait avec Ramon, vingt ans auparavant, dans la petite cuisine de la rue du Regard.

Un faire-part tout ce qu'il y a de traditionnel avait été envoyé en Écosse, avec un petit mot manuscrit. « Je pense à toi souvent. Carmen. »

Le flacon vert sombre du whisky quinze ans d'âge, lettres noires sur étiquette blanche, est posé sur une petite table chinoise entre les deux fenêtres. Carmen en boit le soir, en rentrant du travail, *straight*, sans eau, sans glace. C'est Donald qui lui a appris à préférer les « Isley » aux « Highlands », parce qu'ils sont plus tourbés, plus costauds, plus écossais que les autres whiskys. Elle-même en a convaincu Robert qui, lors de ses passages rue Tournefort, donne de sérieux coups à la bouteille, ce qu'il n'a pas manqué de faire ce soir, où il est venu la prendre pour aller fêter chez Ramon et Stéphanie le passage des béquilles aux cannes.

– Tu seras gentille avec lui, au moins ?

Robert se méfie des femmes, de toutes les femmes, y compris de celle-là. Il est inquiet pour son Damien.

La journée de travail a été dure pour tous les deux. Robert n'a pas réussi à trouver le biais pour assurer la défense d'un gros client du cabinet accusé, à juste titre, de fraude fiscale à grande échelle. Quant à Carmen, elle s'est fait remettre en place par Emmanuel Chaudouin, ce qui l'insupporte, venant d'un incompétent et d'un fat.

C'est la fin de la semaine, les travailleurs sont fatigués.

Un verre après l'autre, le whisky dissipe les idées obsédantes, les tensions et les contrariétés de la journée, les « j'aurais dû », les « c'est ainsi qu'il aurait fallu faire », les « comment n'y ai-je pas pensé plus tôt ? ». Le canapé est grand et confortable, on y tient facilement allongé à deux, demain on ne travaille pas, on se repose. Carmen a posé la tête sur l'épaule de Robert et Robert, sa joue sur les doux cheveux noirs.

– Je suis déjà gentille, Robert. Tu n'as pas de souci à te faire. Tu veux que je te montre comment je suis gentille avec ton pote ?

Le soufflé au crabe, spécialité de Stéphanie, s'était lamentablement effondré dans son moule, Ramon leur ouvrit la porte en faisant mine de leur briser sa canne neuve sur le dos et Damien, qui avait cherché plusieurs fois à les joindre, leur demanda où ils étaient passés.

Robert et Carmen avaient une heure de retard. Le temps de faire un bébé. À moins qu'il n'eût été fait la veille, avec Damien.

On était à trois mois des noces.

Le samedi 20 avril, à onze heures trente, au pied des marches de l'église Saint-Sulpice, Carmen sort de la grosse Peugeot bleue de Jean Boyerdrey.

De la main droite elle tient l'aigrette qui couronne sa jolie tête et, de la gauche, ramasse le mètre cinquante de soie sauvage couleur coquille d'œuf qui forme sa traîne. Sous l'écrasante colonnade de pierre, à côté du portail largement ouvert sur la nef éclairée, mains croisées sur le ventre, tête inclinée, sourire modeste, le père Châtillon, dominicain et oncle à la mode de Bretagne de Damien, attend les futurs époux.

En face, à la mairie, sur le registre de l'état civil, il est porté depuis la veille quinze heures, que Carmen Diaz a pris pour époux Damien Boyerdrey, avec pour témoins Géraldine Agouasse, enseignante, et Samia Kechiche, infirmière.

Pour la petite-fille de René Bergeron, le vrai mariage, c'était hier devant M. le maire. Aujourd'hui, cette messe sonnée est une formalité à laquelle Carmen se soumet de bonne grâce. Elle aime assez les fastes bourgeois.

Les orgues de Saint-Sulpice, les plus puissantes de Paris après celles de Notre-Dame, entonnent une triomphale pièce de Bach. Carmen se retourne pour voir Damien qui la suit de près. La haute silhouette dégagée, les cheveux en désordre malgré le peigne, la brosse et le gel, se découpent en ombre chinoise sur la fontaine dont le bruit de l'eau est couvert par la musique. Brigitte est parfaite comme toujours, une voilette gorge-de-pigeon à pois de velours remplace avantageusement les effarants couvre-chefs des autres femmes. Mince, gracieuse, tremblant un peu, elle se tient au côté de Damien et jette vers Carmen des coups d'œil affectueux et désemparés.

C'est André qui la conduit à l'autel. « Fais ça pour moi et pour papa », lui a-t-elle demandé. André a loué un frac qui bâille à l'encolure, fait des plis dans le dos, nettement moins seyant que les costumes trois-pièces en velours du « Laboureur » qu'il porte d'ordinaire. En s'avançant vers le chœur, il pense que, décidément, Carmen a le chic pour le distribuer dans des rôles qui ne sont pas faits pour lui.

Tête haute, dents serrées, Carmen a les mains moites et l'estomac en vrille. Les invités sont nombreux, elle les distingue mal et, de toutes les façons, n'en connaît pas le tiers. Les amis et les relations de sa belle-famille sont innombrables.

L'allée centrale de l'église Saint-Sulpice est longue. Certains dans l'assistance attendent que la future mariée se prenne les pieds dans le tapis, la grand-mère maternelle de Damien par exemple, qui n'arrive pas à se faire à l'idée que son petit-fils chéri épouse la fille d'une communiste et d'un obscur comédien, décédé de surcroît.

Les témoins attendent, assis dans le chœur, Robert et Ramon pour Damien, pour Carmen, Bernard Chaudouin, dont la présence en fait taire un certain nombre. Au premier rang, droite, immobile et sévère, Jocelyne la regarde venir.

– Carmen, veux-tu être ma femme ?

– Oui, je veux être ta femme, et toi Damien, veux-tu être mon mari ?

– Oui, je veux être ton mari.

– Je te reçois comme époux, et je me donne à toi.

La main gauche dans celle de Damien, Carmen croise les doigts de la droite, dissimulée dans les plis de sa jupe, de sorte que son serment ne compte pas.

« Non Damien, je ne me donne pas à toi, ni à toi ni à personne du reste. Mais oui, je te prends pour mari, puisque c'est le seul moyen que j'aie de vous garder tous les trois, pour toujours. »

À quelques pas, à genoux sur les prie-Dieu, tête baissée pour n'être pas vus, Ramon Diaz et Robert Blanchart pleurent comme des filles.

Puis, tordant le nez pour empêcher ses larmes de couler, Robert traverse le chœur pour rejoindre le micro, tout en vérifiant discrètement dans la poche de son pantalon gris à rayures, la présence de la barrette de shit qui les aidera tout à l'heure à conclure cette longue journée.

« Soyons dans la joie, exultons, car voici les noces de l'Agneau, son épouse a revêtu ses parures, Dieu lui a donné un vêtement en fin tissu de lin, pur et resplendissant...

Heureux les invités au repas de noces de l'Agneau. »

L'extrait de l'Apocalypse de saint Jean est dit de mémoire, puis Robert regagne son siège en reniflant. Ramon pleure toujours.

Brigitte Boyerdrey n'est pas certaine d'exulter ni d'être dans la joie. Elle triture un mouchoir dont elle déchiquette consciencieusement les bords de dentelle, elle se souvient de la petite fille timide, silencieuse et ardente qui lui plaisait infiniment et se demande si son fils, son agneau, trouvera, sinon le bonheur, au moins le bien-être, auprès de la jeune femme volontaire, dure et ambitieuse que Carmen est devenue.

La tête tournée vers le bas-côté, Jocelyne n'a pas écouté la parole de saint Jean. Elle fixe la petite porte cloutée qui s'ouvre sur la rue Servandoni, où se tenaient les réunions de cellule au début de son mariage avec Carlos. Elle avait vingt-sept ans, lui vingt-cinq. Ils couraient pour ne pas être en retard, elle se tordait les chevilles sur les pavés irréguliers et mal joints, Carlos la rattrapait par le bras pour l'empêcher de tomber, ils riaient ensemble. C'était il y a trente ans, dans une autre vie.

Le prêche est long, suave, poisseux comme la voix du père Châtillon, litanie de mensonges sur la charité, l'amour, les concessions réciproques et la fidélité, qui confirment Carmen dans l'idée que, s'il y a un Dieu, il est mal servi par les siens. Elle choisit de ne pas l'écouter et porte son attention sur les rayons du soleil filtrés par les vitraux qui traversent le chœur en biais, pour venir mourir aux pieds de Ramon et de Robert, qui ont cessé de pleurer, pendant que la famille et les amis de Damien vont communier, en rang par deux. L'attitude recueillie de Jean Boyerdrey la fait sourire. « Agneau de Dieu qui efface les péchés du monde prends pitié de lui », pauvre Jean, si faible, si vain, si malheureux au fond. Même Brigitte communie, s'exerçant à retrouver la foi à ce moment de la vie où son grand fils part vivre ailleurs, tandis que son joli teint et sa fraîcheur charmante pâlissent sérieusement, si bien que les hommes ne la regardent plus.

Les invités de Carmen, inférieurs en nombre et en revenus, n'ont pas bougé.

– Que Dieu le Père tout-puissant vous donne Sa joie et vous bénisse dans vos enfants.

– Amen.

De l'autel au parvis, la route est bien plus courte que dans l'autre sens.

Les vieilles femmes et les jeunes filles qui se postent aux portes des églises pour voir sortir les mariés ne sont pas déçues. Le couple est gracieux, la robe somptueuse, on voit qu'elle a coûté cher, l'assistance élégante et fournie, et Ramon, appuyé sur la canne à pommeau de corne et d'argent prêtée par le nouveau beau-père, est beau comme un acteur du cinéma de l'ancien temps.

Du haut des marches et de sa victoire, Carmen contemple la place Saint-Sulpice, et le chemin parcouru.

Les rues à angle droit, les arbres qui la bordent, les immeubles bourgeois, pas une pierre ôtée ou rajoutée, rien n'a bougé depuis le temps où elle traversait le terre-plein pour aller prendre ses leçons de piano avec la bonne Mme Lemoan, morte il y a peu d'avoir trop fumé. Si tout y est, rien n'y demeure. Les magasins de mode et les marques internationales ont remplacé les librairies, le cinéma, le tabac et la boulangerie. La terrasse du Café de la Mairie figure dans tous les guides.

Combien de mains serrées, de joues baisées, combien de « merci, comme c'est gentil à vous » prononcés avec le sourire de rigueur, la jeune mariée ne saurait le dire. Après le cocktail et le dîner, elle a ouvert le bal avec André qui, tout étourdi par le déroulement de cette journée à la Marivaux, marche sur sa traîne et lui écrase les pieds. À Bernard Chaudouin qui est venu l'embrasser, elle a promis d'être à l'heure lundi pour la réunion du directoire. Suzanne danse tant qu'elle peut, Jocelyne et Samia parlent ensemble dans l'embrasure d'une fenêtre.

Aux alentours de minuit, une douce odeur de cannabis s'est répandue dans les salles de réception et Robert, une bouteille de champagne pour son usage personnel à portée de main, s'est effondré contre un mur, col ouvert, gilet déboutonné, œil mort.

Rue Tournefort, la robe de la mariée a été abandonnée sur le canapé du salon, dans un tas luxueux de tulle et de satin.

Le lendemain de leur mariage, jour de l'élection présidentielle, M. et Mme Damien Boyerdrey se sont réveillés assez tard dans l'après-midi, juste à temps pour aller voter chacun de son côté, Damien, rue Littré, Carmen, rue Gracieuse.

Il est certain que les préaux des écoles communales, carrelés et sonores, ont tous un air de famille, que le bureau de vote numéro 7 du cinquième arrondissement, dont dépend Carmen, ressemble à s'y méprendre au préau de l'école élémentaire de la rue de l'Ave-Maria, il est possible que cette ressemblance explique en partie pourquoi, au dernier moment, en se traitant de sentimentale incohérente et irresponsable et contre toute raison, Carmen Diaz-Boyerdrey, financière pleine de promesses, alliée depuis la veille à la haute bourgeoisie, a, le 21 avril 2002, voté communiste.

De retour à la maison, elle ne s'en vante pas, du reste Damien a d'autres préoccupations.

– Robert a appelé, il a une forte crise et besoin d'une piqûre, il t'attend.

Il pleut avenue de Flandre. De place en place, des tracts salis et déchirés, appelant à voter socialiste, jonchent et maculent le trottoir mouillé. Carmen croise des hommes jeunes et misérables, de toutes races et de toutes couleurs, qui rôdent la nuit dans les parages pour y renouveler leur provision de shit, acide, ecstasy, crack ou héroïne. Elle a caché son sac sous son imperméable et se hâte vers l'appartement de Robert. La clé est sur la porte, les volets n'ont pas été ouverts et l'appartement dégage une fine odeur de vomi. Une cuvette près de lui, entre migraine et gueule de bois depuis le retour de la noce, Robert somnole devant la télévision qui vient de lui apprendre que les Français ont fait passer devant le candidat socialiste un vieillard borgne et d'extrême droite.

Contrairement à Carmen, Robert ne manifeste aucune surprise devant ces résultats. La politique ne l'intéresse pas, il ne vote jamais, se méfie du peuple, pense que ses compatriotes sont des abrutis à cervelle d'autruche et que, par conséquent, ils n'ont que ce qu'ils méritent.

Malgré son abominable mal de tête, c'est le sort de Damien qui le tracasse.

– Mais tu l'aimes au moins ?

– C'est grave ce qui vient de se passer, Robert. Tu te fous de tout, sauf de tes potes et des chevaux, ma parole ! Si tu l'aimes tant que ça ton Damien, pourquoi est-ce que tu n'as pas couché avec lui ?

– T'inquiète, c'est fait.

Petit choc. Mais oui, c'est fait, bien sûr, c'est fait. Carmen aurait pu s'en douter. Elle est vexée, elle s'en veut d'avoir posé une question dont la réponse, quoique prévisible, la trouble et la dérange. Mais de cela, comme du reste, elle fera son affaire. Le temps de sortir la seringue, de la remplir, de la tapoter avec précaution pour en évacuer l'ultime bulle d'air, Carmen retrouve sa maîtrise chérie.

– Et alors ?

– Alors rien, ça ne nous a pas plu.

Subodorant une nouvelle annonce qui ne lui plaira pas, Carmen s'abstient de demander si Ramon aussi était de la partie.

– Retourne-toi, que je te fasse cette piqûre, et rassure-toi. J'aime Damien, j'aime Ramon, je t'aime toi. Et puis, Damien est très riche et tu sais combien j'aime l'argent…

– L'argent, bien sûr, l'argent…

La voix est faible, presque inaudible, la piqûre va faire son effet, Robert va s'endormir. Avant d'aller fermer la fenêtre grande ouverte sur la rue, elle s'attarde un peu sur le visage marqué de fatigue qu'elle connaît par cœur, puis elle éteint le téléviseur, va jeter dans la poubelle de la cuisine un cendrier plein de mégots, et quitte l'appartement sans bruit. Robert ne se réveillera pas avant l'après-midi du lendemain, elle en a l'habitude, elle en est certaine.

Quand la petite Twingo qui la ramène vers les beaux quartiers arrive place de la République, il pleut toujours et la France est KO. Pendant les quinze jours qui précéderont le deuxième tour de l'élection présidentielle, les

Français s'enivreront de défilés « antifascistes », puis ils porteront en masse le candidat de la droite traditionnelle à la magistrature suprême, et tout continuera comme avant.

– Ça va, Robert ?

Les résultats des élections, Damien y pensera demain. Ce soir, lui aussi, c'est de son ami qu'il s'inquiète. Carmen se couche contre Damien, contre le dos de son mari, qui est doux, chaud, musclé.

– Mais oui, mon bébé, ça va, ne t'inquiète pas.

Désormais elle dormira avec Damien et avec lui seulement, mais cette nuit le sommeil tarde à venir.

L'enfant qu'elle porte mesure trois centimètres. Deux jours avant le mariage, elle l'a vu sur un cliché un peu flou, se trémousser et s'agiter, vif et déluré comme un petit poisson d'argent. Damien était le roi du monde, le maître de l'univers, il a immédiatement transféré l'image sur les ordinateurs de Ramon et de Robert, qui, à leur tour, ont été fous de bonheur. Un enfant leur était donné.

Carmen ne cherche ni à minimiser ni à combattre les liens qui l'attachent à son enfance et qui l'ont tenue à l'abri du rêve ordinaire des jeunes filles : le grand, le bel amour, l'étranger qui vous enlève et vous arrache au passé.

Alors les doutes sur la paternité, Carmen les gardera pour elle. Elle ne cherchera pas à savoir qui est le père, elle ne veut pas le savoir. Damien et son désir ardent d'être papa ? Robert, que le seul mot de paternité rend malade ? Pour elle, c'est du pareil au même.

Sur l'élégante table de chevet, elle a posé la photo de Carlos dans le petit cadre de bois dont le vernis se craquelle. En noir et blanc, son père magnifique lui sourit. Il lui tend les bras, comme quand elle était petite, qu'elle courait vers lui de toutes ses forces, qu'il l'attrapait, l'enlevait et la lançait en l'air, très haut, dans le ciel.

Il est cinq heures, Carmen s'endort.

8402

Composition IGS
Achevé d'imprimer en France (La Flèche)
par Brodard et Taupin
le 15 juillet 2007. - 43123
Dépôt légal juillet 2007. EAN 9782290356227

Éditions J'ai lu
87, quai Panhard-et-Levassor, 75013 Paris
Diffusion France et étranger : Flammarion